COLLECTION FOLIO

Jean Giono

Les grands chemins

Gallimard

Ne laisse pas ta mère perdre ses prières, Hamlet ; je t'en prie, reste avec nous ; ne va pas à Wittenberg.

C'est le matin de bonne heure. Je suis au bord de la route et j'attends la camionnette qui ramasse le lait. Quand je la vois arriver je me dresse et je fais signe mais le type ne me regarde même pas et me laisse tomber.

Je bourre ma pipe. L'automne me traite vraiment en bon copain depuis des semaines. Les vergers sont rouges de pommes.

Au bout d'un moment j'entends un autre bruit de moteur : c'est une grosse citerne avec remorque. Celui-là me prend.

Le type est seul. Il pousse son bleu dans un coin et il veut une cigarette. Je la lui roule. Je lui demande s'il faut que je la mouille et il me dit :

— Mouille-la.

Il ne s'occupe pas d'où je viens, c'est bon signe, mais où je vais. Je lui réponds que je ne suis pas bien fixé.

— Boulot ? dit-il.

— Oui et non.

Nous roulons un peu sans rien dire. Ça me plaît.

— Ils reconstruisent par ici, dit-il.

Je dis oui par politesse.

— Il y a du boulot pour les maçons.

— Oui.

— Et pour tous les corps de métier.

— Oui.

Nous traversons une assez grande ville toute endormie. Il y a cependant déjà quelques bistrots ouverts. On ne s'arrête pas.

— Question d'horaire, me dit le type.

Il charrie de l'acide pour une usine. Il a un parcours de cent vingt kilomètres à faire, au moins trois fois s'il peut.

— Et il faut pouvoir, dit-il.

A partir de quatre il touche des gratifications ; mais en me disant ça il rigole.

Malgré ma touche, il se demande vaguement si je me balade pour mon plaisir. Je le rassure. Je lui dis qu'en ce qui me concerne le travail ne presse pas à la minute, mais que d'un jour à l'autre il va falloir que je m'y remette.

Il me dit : « C'est quoi ?

— Un peu tout. Cent métiers, cent misères. »

Ce petit truc réussit tous les coups. Cette fois-ci, ça ne rate pas non plus. Il est très content.

En sortant de la ville nous passons près d'un stade. La rencontre de la semaine est annoncée sur une grande affiche jaune. Il freine et regarde l'affiche.

— Ils sont gonflés dans ce patelin, dit-il, c'est formidable !

Tout de suite après il nous lance très fort dans une

pente. Les peupliers dorés défilent à toute vitesse.

On suit une vallée assez étroite. De chaque côté, les pentes des montagnes sont couvertes de bois de hêtres presque entièrement rouillés. Puis, le pays s'élargit et je vois devant nous un embranchement.

Je lui dis : « Arrête-moi là, mon vieux. »

Il s'arrête. Je lui ai roulé une autre cigarette et je la lui donne. Il me remercie comme si je lui faisais vraiment un cadeau. Il me demande si je vais de ce côté. Je lui dis que je vais essayer et il démarre.

Cet endroit me plaît. Je m'approche du poteau et je lis les noms qui ne me disent rien. A quinze cents mètres il y a un patelin, mais je le trouve un peu trop près de la grand-route. Je le vois. Il n'est pas mal. Les toitures sont en bon état. Le clocher est cossu. Il y a des signes extérieurs de richesse. Les vergers sont rouges comme d'où je suis parti tout à l'heure. Ce qui me touche, c'est quatre ou cinq plants de cosmos dans les champs. Je remarque aussi des haies de cognassiers croulantes de fruits et quelques vignes dont les raisins ne sont pas encore mûrs. Ce n'est pas un pays de vignobles : c'est de la vigne de petit bonhomme. Les champs sont très morcelés. Les plus grandes parcelles ont cinquante mètres de côté. Malgré ça, ils ont fait du blé et non de l'orge. Tout est installé sur les limons que le torrent a déversés. Ils ont canalisé le lit de pierres où maintenant fricote un peu d'eau noire. Le cantonnier a l'air d'être à la coule et les crédits de la commune respectables. Ils ont fait un pont qui vaut le jus. A 7 km 800 il y a, paraît-il, un autre village. Le nom seul est un programme. Il doit être enfermé dans un défilé qui doit se poser là.

Je n'ai pas d'idées. Le matin s'avance. Il y a déjà quelques abeilles. Je fais les quinze cents mètres à la papa. La route est mieux à mon goût. C'est un chemin vicinal de trois à quatre mètres de large à peine, très souple au pied et qui respecte toutes les propriétés. On planterait un piquet devant lui, il en ferait le tour à bonne distance. C'est ce qu'il a fait quand on l'a tracé. Il est bordé de jardins potagers de chaque côté et je constate que par ici on aime les fleurs. Dommage que ce soit si près de la grand-route. Il y a des zinnias qui pourraient me décider à être poli et conciliant.

De près c'est un village comme les autres, sauf un truc qui me fout la trouille : un château à tourelles. Pas de château à tourelles dans l'état d'esprit où je suis. J'ai soupé des châteaux à tourelles.

Je tourne court après la fontaine et je m'envoie du côté de ce fameux endroit qui est à 7 km 800. La route suit le torrent et je prends un véritable plaisir pendant plus d'une heure. Je domine le lit large et sonore encombré d'aulnes et de bouleaux. J'aime cette saison. Elle est tendre. La grive chante dans les taillis. Ce qu'elle dit est exactement en rapport avec les feuilles mortes dorées et le petit vent froid. C'est un oiseau modeste mais qui connaît son affaire.

Je marche encore un bon moment et j'arrive à une maison qui touche presque la route. C'est un corps de bâtiment trapu et montagnard dans un petit bosquet de châtaigniers. Je m'avance. La porte de l'étable est ouverte. Je remarque deux ou trois petites choses à quoi je suis très sensible, notamment un banc posé en belle place à un endroit où il y a de la vue. Les quelques outils que je vois soigneusement appuyés à l'abri des murs sont emmanchés solidement.

Il y a un chien, mais c'est un labri à poils ras. Il aboie par acquit de conscience ; en vérité il plaisante. Il n'a pas l'air de s'effrayer de peu. Malgré tout il m'arrête et il me fait comprendre que c'est la loi. Il est bien tombé, je suis très respectueux de la loi des chiens. J'appelle. Le labri se couche et surveille mes pieds.

Le patron est un petit type trapu. Il a le regard bienveillant des célibataires forestiers. Je lui demande s'il n'y a pas de travail pour moi. Il me dit non, très correctement, avec la petite touche de regret. Il est bien aimable. Ses châtaigniers sont de toute beauté et maintenant que je suis sur le terre-plein, devant la maison, je m'aperçois que le banc est sacrément bien placé.

Nous disons quelques mots sur le temps et la saison. Il me propose une goutte de café. Je refuse. Il a déjà un banc, un chien et des tas de choses dont il serait trop long de faire la liste ; inutile de lui donner un plaisir de plus.

Je me renseigne sur le village qui doit être dans un défilé. Il me dit qu'en effet. C'est encore à trois kilomètres. Il ne pense pas qu'on puisse m'embaucher. A quoi d'ailleurs, dit-il ?

Le pays qu'il regarde en me disant ça et sur lequel je jette moi aussi un coup d'œil n'a pas l'air, en effet, d'avoir besoin de quoi que ce soit. Le peu de terre cultivable serait fatigué par un enfant, et le reste, ce sont des bois sur des montagnes.

En quittant le bonhomme, je réfléchis à la situation. J'ai encore ma dernière paye presque entière. Cela me donne au moins cinq à six jours de largesse et, en faisant petit, bien plus que ça.

Le village se présente mal. Question pittoresque, il n'y a pas grand-chose à redire. Il est à la sortie du fameux défilé, mais dans un bol de montagnes nues comme de la porcelaine. Je m'attendais à mieux. Il y a à peine cinq à six maisons. Je tourne un rocher et là, exposé en plein couchant, c'est un peu plus joli. Il y a une épicerie, une agence postale et un bistrot avec un jeu de boules.

Qu'est-ce qu'ils doivent faire payer le café, ici ? Dix francs comme ailleurs ? Je vais voir.

C'est très propre et il y a le journal du jour sur la table. Ça a l'air d'être bien desservi, mais comment ? Le car du courrier ne m'a pas doublé.

Une femme fait coucou à la porte de la cuisine, mais c'est une fillette qui me sert. Je m'adresse à la dame qui fourgonne dans son fourneau et je demande à tout hasard s'il n'y a pas de boulot par ici. Ça a l'air de l'intéresser ; elle vient en s'essuyant les mains à son tablier.

C'est une rousse avec des taches de son, un visage agréable. Elle est jeune et dodue. Je fais mon œil d'innocence.

Elle me dit qu'il y avait un nommé Chanton qui faisait une coupe dans un vallon plus haut mais elle croit qu'il a fini. Il y a quelques jours qu'elle ne l'a pas vu. De toute façon, elle ne sait pas s'il avait besoin d'aide. A part ça, elle ne voit rien.

Elle connaît sa valeur et elle se force un peu pour gonfler sa poitrine ; qui est jolie. La fillette nous regarde en dessous.

Je demande si, d'ici, en continuant, on va quelque part. Elle me répond d'un ton qui signifie que, précisément, le monde, c'est autre part qu'ici. D'après elle, il suffit de partir pour rencontrer le pays de cocagne. C'est une opinion comme une autre.

Son café est bon.

Je regarde l'heure à sa pendule. Il est dix heures, mais elle me dit qu'elle retarde. Ça n'est pas une affaire ; je ne suis pas à la minute. Je me documente un peu sur le pays. J'en arrive à la conclusion que ce sont des gens qui vivent de miel. Il y a beaucoup de ruches. Miel et bois, et charrois correspondants.

Je ne veux pas être en reste. Question de poitrine mise à part, sur laquelle elle insiste un peu trop, la dame est gentille. Je lui demande ce qu'on fait ici le dimanche. Elle me dit qu'on danse et qu'on joue aux boules. Je trouve que c'est bien comme programme. Je le lui dis. Elle en convient. Elle ajoute : « Il y a mieux mais c'est plus cher. » Je lui fais remarquer que toute la question est là.

Sur ces bonnes paroles, je refous le camp dans le soleil.

La route monte et sans manières. Elle est pour les gens d'ici qui ont bon pied ; moi, elle m'essouffle un peu. Je fais deux ou trois pauses et je regarde les pentes nues qui dévalent vers moi. Les pâtures en poil de renard sont couvertes de chardons blancs. Il doit y avoir des champignons sous les mélèzes mais, où sont les mélèzes ? Debout dans tout ça, il y a moi, un point c'est tout ; le reste, c'est de l'herbe, du rocher et le fil d'une eau qui doit être très froide, à en juger par la couleur et le silence.

J'arrive sur une sorte de plat dans des prairies. C'est un col. Et là, du côté du nord, une vue du tonnerre.

Pied à terre, cavaliers !

L'air pétille, je me sens bougrement bien. Je casse la croûte. En même temps, je regarde. De tous les côtés, c'est très joli. On voit des montagnes et des montagnes à perte de vue, et des vallées fourrées, notamment celle où, puisque je suis là, je vais descendre.

Je ne sais pas ce qui me fait le plus de plaisir : ou de manger, ou de penser à la bonne bouffarde que je vais m'offrir aux premières loges. Il y a des tas de kilomètres tout autour, comme partout, mais ici on les voit. Les vallées font chaud à regarder, mais le meilleur, c'est l'air. On ne s'en lasse pas. Il y a longtemps que je n'avais été si heureux.

Sur ma gauche, mais assez loin, il y a un troupeau de moutons qui sonne un petit coup de clochette, de temps en temps. Peu à peu, il se rapproche. Je regarde le manège du berger. Il m'a vu, et il a envie de savoir qui je suis. Il ne veut pas que ce soit le dit. Il fait comme s'il suivait les moutons, mais il les pousse.

C'est une bergère. Une vieille femme maigre et droite. Noire de la tête aux pieds. Elle arrive de l'autre côté de la route et se pose. Nous nous disons bonjour, puis j'ajoute :

— C'est beau par ici.

Elle répond :

— Oui, les gens le disent.

Après ça, nous restons en compagnie, séparés par

la route. Elle m'a assez vu, mais elle reste là, contente. Ça dure longtemps. Elle pense ce qu'elle veut, moi aussi. On est très bien.

Finalement, je lui dis au revoir. Elle remonte sur son flanc de montagne et moi, je m'envoie dans la descente, mais je modère. Je n'ai pas envie de m'enfoncer. Il faut, parce qu'il ne doit pas faire chaud ici, la nuit, mais je regrette. C'est comme pour tout : si les regrets y faisaient... Au bout d'un moment j'ai pris mon pas.

Juste avant d'arriver au premier hameau, une femme cueille des pommes. Je suis de bonne humeur. Je lui dis : « Salut, Patronne » et je la complimente sur ses fruits. Elle a comme moi envie de parler. Elle vient au talus.

— Vous en voulez ? me dit-elle.

— Envoyez-m'en une.

Elle l'envoie et je l'attrape au vol. Elle rit. Moi aussi. Il nous en faut peu. Nous bavardons. Elle n'a pas d'âge ; moi non plus. Je racle la pomme jusqu'au trognon.

— Vous avez peut-être faim ?

— Non. Une fantaisie.

— Il faut en avoir, dit-elle.

Nous recommençons à rire comme des gourdes. L'air doit prédisposer.

— Vous allez peut-être me donner un renseignement ?

— Pourquoi pas, si je peux ?

— Il n'y a pas du boulot pour un type comme moi par ici ?

— Qu'est-ce que vous faites ?

— Ce qu'on me demande.

— Vous ne savez pas faire des corbeilles ?

— Si, très bien.
— Dommage, on avait le vannier avant-hier.
— J'arrive trop tard.
— Non pas, si c'est pour bien faire.
— Je le pense.

Je n'ai pas été malin. Maintenant elle se méfie. Elle retourne à son pommier.

— Allez à Agnières, me dit-elle.
— C'est loin ?
— A quatre kilomètres là-dessous.
— Vous ne savez pas si on peut coucher ?
— On peut. Demandez au café Sube.
— Et à part le café Sube ?
— Je ne sais pas trop.

Va pour le café Sube, s'il n'y a pas autre chose. Je suis assez disposé à me payer un lit, à moins que ce soit plus de trente francs. Ça doit être à peu près le prix par ici, sauf s'ils sont habitués à des milords. Je pense à des chasseurs, par exemple, qui viennent s'amuser et donnent peut-être cinquante francs.

Je vois au clocher qu'il est déjà trois heures. Dans cette vallée qui se resserre, il fera nuit à six. Je ne crains pas la nuit, mais c'est l'heure où les gens ont peur de ceux qui passent.

A Agnières, il n'y a rien. Je n'ose même pas aller au café Sube. Ce n'est sûrement pas pour moi, c'est visible. Le pays me plairait. J'y suis arrivé bien avant le crépuscule, et c'est joli. Ça l'est même un peu trop puisqu'il y a un café Sube.

J'en vois sortir un type en bottes et en blouson de cuir

qui inspecte les environs et lève le nez vers les montagnes. Il a l'air de les passer en revue. Il a un étui à cigarettes et c'est un instrument qui lui sert beaucoup. Il le frappe avec son doigt comme s'il battait un tambour. Il toise tout le monde et il me toise.

Je parle avec un type qui fait boire son cheval. D'après lui, dans toute la région, je n'ai pas une chance. Question de coucher, c'est délicat. Il ne faut pas demander ça de but en blanc, surtout à cette heure-ci. Je connais la musique.

Le type du cheval me quitte dès que sa bête a fini de boire. Je me demande ce que je vais faire. Celui des bottes fait les cent pas sur la place, comme Louis XIV. Il a l'air de s'emmerder à cent sous de l'heure. J'ai envie de lui dire que ce n'est pas de ma faute et de lui signaler une petite maison blanche à roses trémières, sous trois bouleaux. Moi, en tout cas, elle m'amuse. C'est fou ce qu'elle peut me suggérer de choses, agréables et désagréables. Je n'ai que l'embarras du choix.

Je traîne un peu dans le village. Il est loin d'être conséquent. Il a un côté douillet, comme tous les villages, le soir.

C'est difficile d'aborder les gens à cette heure-ci. On ferme les portes. C'est le soir qu'on a inventé le verrou ; et il y a une bonne paye d'années. Que c'est important la frousse! Pour résister à l'instinct il faut des types bien, et les types bien, c'est rare.

A tourner comme ça, d'un côté et d'autre, j'aggrave mon cas. On commence à me regarder du coin de l'œil. Si j'étais sûr de faire l'affaire avec trente francs, j'irais bien voir au café Sube, mais il faudra manger un morceau et ce n'est pas l'endroit où je pourrai déballer mes papiers sur un coin de table. L'assiette de soupe doit être à prix d'or. S'il y a de la soupe.

Voilà une chose à quoi il ne fallait pas penser. Je vois des tas de pommes de terre et de poireaux dans de l'eau bouillante, avec un rayon d'huile. On a des Pérou à tout bout de champ.

Je me décide et j'aborde un jeune, assez faraud. Lui aussi me parle du café Sube. Je rigole et je fais remarquer que ce n'est pas pour moi. Pendant qu'on cause, je roule une cigarette. Il n'est pas très sensible à ce truc paisible. Je l'ai peut-être pris à un moment où il était pressé.

Les plus ouverts, par temps de nuit, ce sont les vieillards. L'embêtant, c'est qu'ils ne traînent pas dehors et que, neuf fois sur dix, quand ils sont dedans, ils ne sont plus les maîtres. Ou alors, ce sont des merles blancs. Je me rends compte que ce sont précisément des merles blancs que je cherche.

Je fais un truc idiot. Je frappe à une porte et je demande carrément un peu de soupe et un coin pour dormir à l'abri. Malgré le carrément, j'ai mis toute la sauce en fait d'amabilité. Je dis que je peux payer. On est gentil comme tout et on me propose le café Sube. Je dis très gentiment, moi aussi, que c'est trop cher. Alors, on ne voit pas.

Ils sont quatre, là-dedans : la femme qui est venue m'ouvrir, l'homme qui était en train de fouiller dans une boîte à outils, une fillette qui écrivait dans un cahier et une vieille femme qui passait la soupe sur un coin du fourneau. Ils sont en train de réfléchir plein tube avec vraiment beaucoup de bonne volonté mais, à part le café Sube, ils ne voient pas. Moi non plus. Je leur souhaite le bonsoir.

Je reprends les bois, et rapidement la nuit tombe. La route descend et s'enfonce dans un vallon étroit, très fourré. J'entends sur ma droite un ruisseau qui saute dans les pierres. Mais il s'enfonce plus profond, plus vite que la route et, au bout d'un moment je ne l'entends plus.

J'ai pensé que, peut-être, je rencontrerais une scierie. On peut très bien coucher dans la sciure, sous les hangars. Mais, autant que j'en peux juger, je suis dans un ravin où il n'y a que la place de la route et du ruisseau silencieux en bas, dans le fond.

Il n'y a qu'à marcher. C'est ce que je fais, tout en grignotant un quignon et le bout de gruyère qui reste.

D'ordinaire j'y vois la nuit. Ici, la forêt fait l'obscurité si épaisse que j'ai beau écarquiller les yeux. A un détour, pourtant, où les arbres doivent être plus éclaircis, je vois une étoile en face de moi. Puis, je m'aperçois que ce n'est pas une étoile mais un feu fixe, très haut dans la montagne. J'en découvre deux ou trois autres, à côté du premier, qui brillent moins, étant, je suppose, masqués par des feuillages. A coup sûr, ce sont les lumières d'un hameau. Je me rends compte qu'il a fallu que je m'enfonce sacrément bas dans le ravin pour voir des lumières de hameau si haut au-dessus de ma tête.

Je suis cependant toujours bien sur la route. Une route sait généralement ce qu'elle fait ; il n'y a qu'à la suivre.

Il y a belle lurette que je ne cherche plus à renifler pour sentir l'odeur des scieries. Je ne sens rien de particulièrement humain autour de moi, au contraire. En premier lieu, il y a l'odeur du vide. Sur ma droite, la forêt doit tomber raide et profond. De là vient aussi, par moments, une sorte de soupir qui ressemble à celui d'un homme endormi. Il doit y avoir en bas une vallée assez large et un torrent en conséquence qui frotte sur du gros gravier. Je sens aussi l'odeur résineuse des sapins et celle de la fiente d'oiseau. Il y a sans doute dans les parages une paroi de rocher ; c'est généralement leur odeur.

Je vois d'autres étoiles, mais celles-là au-dessous de moi. Un petit piquetage de feux pareil à une sorte de grande ourse, mais sous mes pieds. Ça fait toujours un drôle d'effet. J'essaie de voir les étoiles du ciel. Il n'y a pas mèche. Seules sont visibles la constellation du hameau d'en haut et la constellation du hameau d'en bas. Il n'y a pas de rapport entre les deux. Ils sont séparés par peut-être cinquante kilomètres de routes comme celle que je suis, toute en tournants, et qui va faire des détours au tonnerre de Dieu. Entre les deux, des centaines de milliards de tonnes de feuillages de toutes les espèces, toutes plus noires que l'ombre. Et moi, au milieu, je flotte.

La nuit met toujours un peu de mou dans les jambes.

Je me demande si j'ai quatre cents francs ou cinq cents. Quatre sûrement, c'est mon dû que m'a donné le père Machin quand je suis parti. Le reste, c'est une affaire de petite monnaie. Il me semble bien que j'avais presque cent francs au moment où il m'a payé. Après, j'ai acheté le casse-croûte.

Je commence à en avoir un peu marre, mais il faut tâcher de trouver n'importe quoi, ferme ou village. J'aimerais bien entendre aboyer un chien. Je m'arrête et j'écoute.

Il me semble qu'il y a un bruit de pas derrière moi ; puis, j'en suis certain.

J'attends. C'est un type qui marche bon pas. Quand je juge qu'il est assez près de moi, je me racle la gorge. Il me demande qui est là.

Je lui dis que c'est moi. Ça ne doit guère l'avancer, mais il ne s'en fait pas et s'approche. La voix est jeune. Il semble être un peu plus petit que moi. Je vois exactement un nègre dans un tunnel.

Je vais tout de suite à l'essentiel : est-ce qu'il y a des piaules quelconques, pas trop loin, dans ce bled? Le type dit oui bien sûr, et qu'il y va ; c'est encore à trois kilomètres. Je propose d'aller ensemble. Il répète « bien sûr » et nous prenons notre pas.

Il y a tout de suite une chose qui m'intrigue. Je finis par être obligé de le dire. J'y mets une certaine forme parce que, vraiment, il y a de quoi. Je suis sûr de ne pas me tromper, c'est un bruit de jupes.

— Vous êtes un homme ou une femme?

Il me répond :

— Je suis un curé.

Je dis « merde! » Il rigole.

— C'est pas un peu tard pour être sur les routes, monsieur le Curé?

— Vous y êtes bien, vous.

Il est culotté ; je pourrais être n'importe qui et ce serait facile de lui compliquer l'existence. Il ajoute :

— Les gens d'ici aiment beaucoup mourir la nuit. Si ça leur convient, qu'est-ce que vous voulez que j'y fasse ?

Il m'explique gentiment qu'il est allé aider une grand-mère. Je lui demande : « A quoi? » Il me répond : « A mourir chrétiennement. »

On reste parfois baba ; c'est le cas, surtout à cause de la nuit silencieuse et parfumée, de nos deux pas accordés, de la petite constellation du hameau que je vois toujours très haut dans la montagne et les feuillages de l'ombre, de la certitude que j'ai, maintenant, de pouvoir bientôt dormir à l'abri.

Je n'ai pas encore parlé de cette question ; j'y attache moins d'importance que tout à l'heure. Néanmoins, j'en touche un mot. Il me dit que, si je ne suis pas difficile, je n'ai qu'à aller chez lui. J'y comptais.

Il me fait prendre un chemin de traverse. On contourne un rocher et je vois une lumière. On se balade encore un bon moment de droite et de gauche avant d'y arriver. C'est une lampe électrique en haut d'un poteau, à l'entrée du village. Elle éclaire des vergers, des jardins de choux et de fleurs. Je regarde mon collègue : c'est bien un curé, mais tout jeune. Je pourrais amplement être son père. Je vois sept à huit maisons à peine. Il pousse la grille en bois d'un cimetière de poche. Nous entrons. On est tout de suite devant sa porte et chez lui.

Il fait de la lumière. C'est un petit gars à la tête en boule. Il a comme moi un bon travers de doigt de barbe.

Il me dit : « Ce n'est pas luxueux, mais... » le « mais » est de trop. Et d'ailleurs, si : c'est très bien.

Le fourneau n'est pas éteint sur lequel il y a de la soupe.

Je regarde les livres. Il y en a de Daniel-Rops ; le manuel d'échecs du débutant, de Chéron...

Il me dit : « Ça vous intéresse?

— Oui.

— Vous lisez? »

Je lui raconte mon histoire chez le docteur Ch. Il me dit : « Il était fou! » Je lui dis : « Oui, il n'était pas tout à fait d'aplomb, mais la campagne lui faisait du bien. » J'ai naturellement gazé sur la question femmes. Il n'a pas besoin de tout savoir.

Je le complimente sur sa soupe. Il est très content. Il m'offre du tabac et nous fumons une bonne bouffarde chacun, en buvant un verre de vin. C'est la chose que j'aime le plus. Je suis content d'être avec ce petit gars. Il est à peine neuf heures et demie à son réveille-matin.

Il me dit que dans un moment on mettra une paillasse par terre. Il me demande si ça ira. Je lui réponds que c'est le paradis. Il prétend que le paradis c'est mieux que ça. Moi, je crois que c'est exactement ça. Je l'interroge sur son boulot, si c'est facile ou non. C'est, d'après lui, très chic. Les gens d'ici ne sont ni pour ni contre, sauf les vieilles qui sont résolument pour, mais elles ne sont que trois. Les jeunes suivent les vieilles quand il n'y a pas mieux à faire. Ce qui est le cas pour l'hiver. Les hommes sont gentils : ils ne s'en mêlent pas. Question argent, il dit qu'il s'en fout, ou plus exactement il dit que ça n'a pas d'importance et qu'ils sont larges en légumes et en bois de chauffage. Il dessert quatre hameaux dans la montagne. Il fait du ski ; je le sens très content et je le croirais tout à fait s'il avait un regard plus fixe.

Il est malin. Il voit à quoi je pense. Il me raconte qu'il a trouvé un bon truc pour passionner les jeunes gens. Il s'est occupé des petits garçons et des petites filles. Cette année, il a réussi à les faire partir dans une colonie de vacances. Les enfants sont rentrés il y a trois semaines après avoir vu la mer. Depuis, il est le roi. On ne fait que parler de cette mer. Mais, il avait à s'occuper de six jeunes gens, de quinze à dix-sept ans. Il a acheté un ballon et il les fait exercer dans un pré. Ils sont passionnés au dernier degré. Ils cherchent à former une équipe. Lui, ce qu'il aime, c'est le rugby, mais naturellement, dit-il, je les dirige vers le ballon rond.

Il me demande ce que je fais. Je le lui dis. Il me pose des questions très précises. Je lui en pose, moi aussi, parce qu'il a l'air de ne pas être tombé de la dernière pluie. On comprend par exemple qu'en parlant du travail et de ses rapports avec le bonheur qu'on éprouve ou qu'on n'éprouve pas, il sait de quoi il s'agit. Il est le dernier de six d'une famille qui est encore fixée à la terre dans une vallée de la montagne. Il me rappelle Thomas surtout quand il boit. Il empoigne le verre à pleine main comme lui et il a sa façon de se lécher les lèvres. Il déguste sa deuxième pipe comme il faut. Moi aussi.

Il me confesse, en douce, mais pas pour son boulot. Je prête volontiers le flanc. Je crois qu'il a une idée derrière la tête. Ce qui l'intéresse, c'est qu'il a trouvé un homme de son bord. Il veut savoir pourquoi j'ai quitté ma dernière place. Ce n'est pas un mystère : c'est que, de temps en temps, j'aime partir, c'est très simple. Il me dit :

— Mais, l'hiver ?

— L'hiver, je m'arrange pour rester.

Il fume un moment en silence. Je sens qu'il est en train de faire un détour. Je l'attends. Il arrive d'un côté imprévu. Il me parle des hommes de tout repos. Est-ce qu'il y en a ? Je ne lui pose pas la question. Je raconte très naturellement une histoire ancienne, en gazant toujours, bien entendu.

Si je savais exactement de quel repos il s'agit, je ferais mieux, mais je me tiens prudemment à carreau. Je ne m'avance d'aucun côté, et le bonhomme que je lui dépeins, qui est moi, est vraiment de tout repos. Je vais même plus loin et je me montre aux prises avec diverses difficultés dans des faits qui se sont passés à des endroits précis. Je donne les noms. J'arrive à me faire mousser sans tirer gloire. Ma pipe sur laquelle je tire tout doucement me permet de faire les repos de modestie aux bons endroits.

Il n'est pas très convaincu. Il se demande si c'est du lard ou du cochon. Je suis sûr cependant d'être resté dans la note. C'est qu'il en veut plus, mais pour le dire il prend mille précautions. Il va jusqu'à chercher dans Dieu. Je crois que c'est parce qu'il a perdu contenance, ou patience, ou qu'il est sur le point de perdre prudence, car il a très envie de quelque chose ; je le vois.

Jusqu'à maintenant, nous avions parlé et passé le temps comme deux paysans. Ce n'est plus pareil. Si on s'expliquait clairement ça irait très vite mais nous avons, lui et moi, notre intérêt personnel. J'ai l'impression que ce n'est pas tellement de la vertu qu'il cherche, mais ce n'est pas moi qui vais aller le lui dire.

Il emploie de grands mots, mais comme en même temps il ne me perd pas de l'œil, ça le rend très timide. Je suis sûr qu'il se demande si ce qu'il dit prendrait sur son père et sur ses frères. Je ne bouge pas, je l'écoute, je bois même ses paroles. Mais il sait que ça ne prendrait pas, et qu'avec moi ça ne prend pas non plus.

Finalement il se dresse et il dit qu'on va mettre cette paillasse par terre ; que je dois être fatigué.

Nous allongeons cette paillasse le long d'un coffre ; je serai très bien. Je profite de ce que je suis penché, en train de placer ma veste en guise de traversin et je dis :

— Si vous connaissiez quelqu'un qui a besoin d'un homme de tout repos, monsieur le Curé, je ferais peut-être l'affaire. L'hiver n'est pas loin.

— Vous ne voulez pas qu'on boive encore un coup? dit-il.

— Si. Volontiers.

Il s'agirait d'une dame qui habite seule à la campagne et qui aurait besoin d'un homme de tout repos pour les gros travaux de sa maison.

C'est dans mes cordes.

— Une dame de quel âge?

— Une vieille dame.

Il ne doit pas très bien savoir à partir de quel âge une

femme est vieille. Mais si ; c'est moi qui me trompe ; il me dit qu'elle a presque quatre-vingts ; qu'après son attaque les médecins lui ont recommandé le calme et la campagne. Elle est dans un petit endroit de plaisance.

On se couche et on dort.

Le matin, pendant qu'il dit sa messe, je lui fends un peu de bois. Il revient. Il a fait le café. Nous le buvons. Je lui demande trois, quatre pommes de terre crues.

— Ça m'arrangerait bien. Je n'ai plus de casse-croûte, je les ferais rôtir. Et, en partant d'ici, où est-ce qu'on va ? Est-ce qu'on peut se ravitailler quelque part ?

Je refuse pain et fromage qu'il me propose. J'ai de l'argent, je le lui montre, je n'accepte que les pommes de terre.

D'après ce qu'il dit sur l'itinéraire je pense sortir d'ici assez vite et trouver du pays. Je remets la question principale sur le tapis.

— Au sujet de la dame, donnez-moi un mot, monsieur le Curé, j'irai voir en passant si je fais l'affaire. Pourquoi pas ?

Il se met à sa table et compose.

Une lettre de curé, c'est toujours une bonne chose à avoir. Il me la donne ouverte. Je lui dis : « Cachetez-la, s'il vous plaît, monsieur le Curé. »

Le matin lui va mieux à ce petit gars. Il m'avait fait un peu mal aux seins, hier soir sur la route avec cette *mort chrétienne*. Somme toute, il a été très gentil. Je le remercie d'un ton qui colle au poil avec les livres que j'ai vus sur son étagère.

Son patelin aussi n'est pas mal. Il est accroché avec

des arbres sur une sacrée pente. Ils ont fait des murettes autour des maisons pour retenir de petites assiettes de terre où ils ont planté des fleurs. Dans un de ces jardins suspendus il y a justement une jeune femme en train de mettre du linge au fil de fer. Ça fait terrestre.

Je pense à la femme aux pommes d'hier soir. J'ai plaisir à voir des gens frais. En lançant la pomme, elle avait vingt ans.

Après un peu de sous-bois où il fait frisquet et humide je rejoins la grand-route. Elle descend dans une sapinière soignée par les forestiers : c'est un vrai parc.

L'automne continue aujourd'hui à être pour moi un bon copain. Je cherche en vain sur la montagne d'en face les traces du hameau dont je voyais hier soir les lumières. Tout est recouvert de forêts de hêtres. Vu d'ici, le monde est en cuivre du haut en bas. Je vois à travers mes propres arbres un petit bout de ciel très bleu. Qu'est-ce qu'il faut de plus ? Le matin, tout est beau.

Je touche ma barbe. C'est la saison où je la laisse pousser. Mais elle n'a encore que cinq jours. C'est une chose qui se fait sans que j'y pense. J'aurais donc tort de me plaindre que la mariée est trop belle. Dans deux semaines, je serai magnifique.

J'arrive dans une petite clairière et je m'assois. Il y a quelques hêtres dont pendant longtemps je regarde les feuilles tomber une à une, sans vent. Elles sont rouges et volent très lentement. D'autres, qui sont tombées de ces jours-ci et dont l'herbe est couverte, se sont gorgées d'humidité et répandent une odeur qui me fait penser à des tas de choses apaisantes. Je resterais là tout le jour.

Peu à peu le soleil illumine et chauffe tout cet endroit où je me tiens. Dans chaque arbre qu'il touche il précipite une chute de feuilles si épaisse qu'elle fait un bruit de pluie. Les oiseaux arrivent. Il y a ce fameux bleu à gros bec qui cherche les faines ; il voltige si vite à travers les feuillages dorés qu'on le voit passer comme un fil. Un rouge-gorge, qui a déjà sa tenue d'hiver et qui ressemble à un petit morceau de brique, saute dans l'herbe. Je m'amuse. Je ne me lasse surtout pas de cette odeur de feuille morte et de champignon presque plus agréable que le parfum du tabac.

Puis, je m'en vais, et en partant je fume.

La route finit par toucher le fond de la vallée. Elle file à travers des trembles jusqu'à un petit pont. J'entends déjà le ronron de l'eau.

Je vois un type assis sur les grosses pierres au bord du torrent. Je crois d'abord qu'il pêche. Vu l'heure, ce serait étonnant. En m'approchant je remarque qu'il tient une guitare entre ses jambes.

Je lui dis : « Qu'est-ce que tu fais ? »

Il lève la tête ; il a un vilain regard. Au bout d'un petit moment il répond : « J'arrange ça, tu vois. » Il taille une clavette avec un couteau. C'est un jeune homme. Il ne me plaît pas. Mais je regarde ses mains habiles et je reste là.

Il me demande si je vais à la foire. Je réponds que je ne sais pas s'il y a une foire. J'ai envie de lui parler gentiment. Il est brun et il a les cheveux frisés. Il ressemble à une fille et il est fort. Son regard a été d'un seul coup tellement désagréable que j'ai envie de le revoir. Je ne pense pas qu'il y ait mis une vilenie volontaire. C'était son regard naturel.

Je suis à côté de lui et, comme tout à l'heure dans la clairière, je n'ai pas envie de partir. Il a placé la clavette qu'il a taillée et il essaie les cordes les unes après les autres. En écoutant la musique qu'elles font je regarde ses mains avec grand plaisir.

— Tu veux que je te joue quelque chose? dit-il.

— Oui, vas-y.

Je regrette de ne pas avoir ma belle barbe.

Ce qu'il joue me plaît beaucoup. J'ai l'impression que c'est moi qui parle. Je parle parfois de cette façon-là. J'en ai tout de suite, agréablement, très gros sur le cœur.

Enfin, il se dresse et me dit : « Viens. » J'y vais.

Il a mis sa guitare en bandoulière. Nous marchons côte à côte. La route monte à travers de petits vignobles montagnards. Les raisins ne sont pas mûrs. Nous essayons d'en manger : ils sont aigres.

— Tu es paysan par ici? dit-il.

— Non.

— Qu'est-ce que tu fais?

— Je cherche du boulot à droite et à gauche.

— Tu en as trouvé?

— Pas encore.

— Si tu veux, moi je t'en donne.

— Ce serait quoi?

— Viens avec moi à la foire.

Je me renseigne sur cette foire. D'après lui c'est la plus importante de l'année pour la région. J'ai envie de me renseigner sur lui aussi, mais j'hésite. Il va sûrement me raconter des mensonges. D'un côté, c'est ce que je préférerais ; s'il me dit la vérité, j'ai peur qu'elle me dégoûte.

Il me demande si je connais la musique. Je dis non. Il me répond : « Ça m'étonne à ton âge.

— Ça n'est pas une question d'âge. Je n'ai jamais appris. »

Il rigole. Ce n'est pas de cette musique-là qu'il s'agit.

Il traîne dans les parages depuis deux mois. Il fait danser dans les petits hameaux. Il gagne plus de cinq cents francs par dimanche rien qu'avec l'instrument, mais le plus important ce sont les tours de bâton qui le lui donnent. Il me demande si je joue aux cartes. Je lui dis oui, il me dit non. Je prétends que si. Il me dit : « Je te montrerai tout à l'heure. »

Nous montons toujours à travers les petits vignobles. Je lui dis qu'il fait sacrément bon au soleil et je vais jusqu'à avouer que c'est très agréable d'être ensemble. Il me dit que le pays est fini. Il n'a plus envie de rester par là. Je ne vois pas ce qu'il y a de désagréable dans ce joli coteau rouge et vert au flanc duquel nous montons sans rien qui presse. Il n'est pas de cet avis.

Il me raconte qu'il était hier soir dans un petit bistrot et, d'après ce qu'il dit et la direction qu'il indique, il se pourrait bien que ce soit dans ce hameau de la montagne dont j'ai vu briller les lumières en face de moi, la nuit passée. Il paraît qu'ils ont fait bastringue jusqu'à quatre heures du matin. Il me parle de deux femmes : la mère et la fille. Il dit que dans ces hauteurs c'est toujours tout cuit. Il y avait eu la paye des bûcherons dans la journée ; ça a marché comme sur des roulettes.

Il a mis sa main derrière son dos et il tambourine avec ses doigts sur la caisse de la guitare. Ça aide terriblement à marcher.

Nous traversons un petit village où l'on est en train de préparer le départ pour la vendange. Ils doivent être les propriétaires de ces vignobles le long desquels nous venons de monter. De toutes les étables on a sorti chevaux et charrettes. On attelle et des moteurs de camionnettes ronflent. Devant toutes les maisons, on a entassé cageots, corbeilles, cuveaux et cornues. Les femmes ont des foulards de toutes les couleurs sur la tête.

Sans lui, je m'arrêterais bien un peu là. Il y a de quoi faire ici pour la soupe et le lit pendant un jour ou deux, dans un travail agréable et plein de sentiment. Il ne s'en préoccupe même pas et je suis loin d'oser en toucher un mot.

Les filles sont très intéressées par la guitare. Mais nous filons et, ma parole, j'en suis très satisfait au point que j'abandonne volontiers l'idée d'acheter un peu de charcuterie.

Le village dépassé amplement, il me fait arrêter à une fontaine qui est sous des saules, en bordure d'un pré. « J'ai la gueule de bois », dit-il. Il s'en paye une tranche à éclater. Il en suffoque. J'ai tout loisir d'admirer son vilain regard.

Il me demande si j'ai bien vu tout à l'heure en passant la jeune fille au foulard. Non, je les ai vues toutes ensemble. Lui, il l'a vue et il me la décrit. Si elle est comme il dit, j'ai en effet manqué quelque chose, mais j'en doute. Il évite de me regarder en face. Il a des quantités de choses qui me déplaisent. Ce n'est vraiment pas un homme de ce genre que j'aimerais avoir pour ami.

La route file à plat dans des prés fleuris de colchiques. J'aime ces fleurs et les idées qui me viennent à l'esprit quand je les vois. Il y a aussi quelques *ronds de sorcières* où je vais fouiller, et j'en tire un bon petit paquet de champignons blancs.

— Qu'est-ce que tu veux foutre de ça? me dit-il.

— Les manger, mon vieux.

— Tu vas attraper la colique.

— Tu parles! Je les connais comme si je les avais faits. Il y a dix ans que j'en mange.

Je lui dis qu'avec des champignons de prairies c'est franc comme l'or, ils sont tous bons. Il peut tous les ramasser. Je voudrais qu'il me demande des renseignements sur les champignons ; je pourrais l'épater.

Nous longeons maintenant de petits bosquets de pins sylvestres. Leur tronc est rouge comme du vin. C'est l'ensemble de l'automne qui vraiment me donne beaucoup de plaisir.

Une motocyclette vient derrière nous. Mon zèbre se met au milieu de la route et fait signe. C'est un gros engin qui s'arrête et le cavalier met un pied à terre. C'est un jeune. L'autre s'en approche, il lui dit : « Prends-moi. — Monte derrière. » En un clin d'œil il est emporté. Il a juste le temps de me crier : « Viens à la foire. »

J'en reste comme deux ronds de flan. Il m'a été soufflé sous le nez... Je n'en reviens pas!

Je marche un bon moment. Je commence à me fatiguer bien que la route descende. A un tournant, je vois que je surplombe presque les toits d'un village. Je vais acheter du pain.

Et, pile, devant la boulangerie, il est là avec sa guitare.

— Tu as cru que je te laissais ? dit-il.

— J'ai rien cru. Le type n'allait pas plus loin...

— Si, dit-il, il allait bien plus loin, mais je suis descendu pour t'attendre.

Ce n'est pas vrai parce que j'aperçois la moto sur sa béquille devant le bistrot de la place. A moins que ce soit une autre moto ; il voit bien que je la vois.

J'entre dans une épicerie, j'achète un paquet d'olives noires, du saucisson, une boîte de sardines et un litre de vin. On me consigne la bouteille dix francs et je ne discute pas.

Il m'attend dehors. Il n'a pas pris le pain. Je vais en chercher.

Nous choisissons un endroit magnifique. A l'ombre d'un hêtre à la lisière des prés, nous sommes assis côte à côte au pied d'une fontaine. Le vin fraîchit dans le bassin. La vie est belle!

— Fais cuire tes champignons, dit-il.

Je lui explique qu'ils sont meilleurs crus avec un peu de sel.

— Je veux te les voir manger.

Je le fais tout de suite. J'en pèle un, je le découpe, je le sale, je le mange.

— Encore.

Je recommence. Je me demande ce qu'il attend. C'est

très bon. J'ai l'habitude. J'aimerais qu'il goûte à ce parfum de rose. Je lui en offre un.

Il me dit : « Non, toi. »

Il parle de mauvais champignons, mais il ne sait pas ce qu'il dit. Je lui explique qu'on ne meurt pas tout de suite, que c'est parfois un jour après.

Il en voit un qui n'est pas comme les autres. Il me le désigne du doigt et il me dit : « Mange celui-là. »

Je le fais volontiers.

Enfin, il se désintéresse de la question. Il sort de sa poche un couteau à cran d'arrêt qui claque fort et il ouvre la boîte de sardines.

Nous faisons un repas de roi. Je n'ai qu'une peur : c'est que nous manquions de pain. Mais nous arrivons juste et aussi avec la bouteille qu'on s'est passé deux ou trois fois. Je bourre une bonne pipe. Il fume une cigarette américaine. J'ai bien envie de lui demander de jouer un peu de sa guitare, mais il dit : « Alors, tu crois que tu sais jouer aux cartes ?

— Je ne crois pas. Je sais.

— On va voir. »

Il se fouille et il sort un paquet de cartes.

Je lui dis : « Attends cinq minutes. On fume, on est bien. »

Il étend sa veste dans l'herbe et il dit :

— Regarde.

Il me fait le coup du bonneteau à toute vitesse. Je rigole. Je sais le faire. Je le laisse un peu se refroidir ; dès que je sens que ses doigts s'embronchent je mets la main sur une carte comme sur un rat.

— Qu'est-ce que tu paries ? dit-il.

— Dix francs.

— La maison ne fait pas le détail.

Je n'ose pas lui prendre ses sous ; c'est du tout cuit. Je refuse d'augmenter la mise. Il me traite de « paysan » et de radin mais je m'en tiens à mes dix francs. Je ne veux pas lui gagner de l'argent : je suis sûr de ma carte.

On la tourne : j'ai perdu.

Il me fait encore le coup cinq ou six fois. Chaque fois, je joue à coup sûr, chaque fois je perds. Je sais qu'il triche. Il me gagne cent soixante-dix francs. La dernière fois je joue cinquante francs. J'aimerais gagner mais il va trop vite pour moi et je perds. Je m'arrête. J'aurais voulu avoir mille francs en poche ; je les aurais joués rien que pour le voir faire.

Il me dit : « Ça, c'est pour les enfants. Tu veux voir le jeu pour les grandes personnes ? »

Bien entendu, je veux. Il me demande combien je mise. Je suis tenté de lui dire : cent francs et de l'épater. La pauvreté m'arrête. Il me dit qu'il n'a jamais vu un purotin pareil ; il me demande ce que je compte faire de mes sous. Je remarque que, quand il parle, sa salive s'amasse toute blanche au coin de sa bouche. Il me fait de la peine et je me dis que j'ai tant fait que je peux y aller encore de dix francs. « Je t'appellerai dix francs, dit-il. Je n'ai jamais travaillé pour si peu. Tant pis, regarde. »

Alors, il se met à tripoter son paquet de cartes comme s'il tirait sur un accordéon. Il le frappe, il le pince, il le soufflette, il le caresse, il l'étire et le referme. Il annonce : roi de pique, sept de carreau, trois de cœur, roi de trèfle, dame de cœur, neuf de pique, deux de carreau ; et chaque fois la carte annoncée tombe. Il jette le jeu de cartes dans le bassin de la fontaine et, quand il va y tomber, le jeu de cartes se regroupe dans sa main. Il me l'étale sous le nez en éventail, en fer à cheval, en roue, en flèche. Il fait couler les cartes de sa main droite à sa main gauche, en pluie, en gouttes, en cascades. Il leur parle, il les appelle par leurs noms ; elles se dressent toutes seules hors du jeu, s'avancent, viennent, sautent. Il raconte de petites saloperies à la dame de cœur et la dame de cœur bondit jusqu'à sa bouche pleine de salive. Il dit que le roi de trèfle est jaloux ; et le voilà qui vient. En effet, il a l'air jaloux ; on dirait un coq. Puis il y a tout un imbroglio où se mêlent les rois, les dames, les valets. C'est une comédie à toute vitesse!

J'en bave.

Il cherche la dame de carreau : elle est dans sa manche. Il parle du valet de pique : il le sort de son soulier. Il répond à la dame de trèfle qui lui fait censément des confidences : en effet, elle est sur son oreille. D'autres font coucou de dessous sa chemise, de son col, de sa braguette, de sa ceinture ; montrent leur cœur, leur carreau, leur trèfle ou leur pique, rentrent, sortent, disparaissent, s'en vont on ne sait où. Je ne sais plus où donner de l'œil. Il claque des mains : elles sont toutes là en paquet dans sa paume.

Alors, il joint les talons, ferme les yeux et se raidit comme un piquet.

— Annonce la couleur, dit-il, et je te la donne.

Je ne reconnais plus ma voix quand je dis le nom des

cartes. Je n'en ai pas plus tôt demandé une qu'il me la donne ou plutôt qu'il la laisse tomber à mes pieds, ou plutôt que le paquet dont il est le maître la laisse tomber de lui-même à mes pieds. Je n'ai jamais été aussi contenté que maintenant. Et cette chose-là dure tant que j'en ai presque de la peine et que je lui dis de s'arrêter. Mais il continue comme si je n'existais pas et à la fin j'ai plaisir de lui en voir prendre.

Quand il s'arrête, je sors vingt francs de ma poche mais il me dit : « Non, garde-les. »

Je les garde mais ça m'est désagréable.

Nous arrivons le soir à G. où doit se tenir demain la foire de la Saint-Luc. C'est un bourg très important à flanc de montagne. La grand-route le traverse. Il y a beaucoup de trafic. Le copain et moi nous regardons le va-et-vient. Il ne s'agit pas encore de celui de la foire ; c'est celui des cars de voyageurs qui arrivent sur une place étroite et fait halte pour dix minutes avant de repartir. Les gens descendent et vont demander les waters à la petite bonne du café. Après, ils boivent un coup en jetant un regard circulaire.

Pendant le peu de temps que nous restons sur la place arrivent et partent de longs courriers, des cars très luxueux, de toutes les couleurs dont certains vont jusqu'à Paris, ou Milan. Dans ceux-là, tout est nickel, autant matériel et chauffeurs que clients ; des lampes électriques font une grande lumière à l'intérieur et ils descendent lentement la rue étroite, sans presque faire de bruit. Ils glissent en emportant une cargaison de femmes et d'hommes tous coloriés et luisants.

J'entre dans une pissotière pour compter mes sous. Il ne m'en reste pas gras. Je revois le copain, je lui dis : « Qu'est-ce qu'on fait ? » Il me répond : « Fais ce que tu veux et fous-moi la paix. Moi, il y a longtemps que j'ai mes idées et je n'ai pas besoin de traîner un paysan comme toi. » Nous nous disputons, mais il a facilement le dernier mot et il s'en va.

Je le regarde partir. Je fais quelques pas à sa suite pour voir où il va aller. Il entre dans le café où passent les voyageurs des cars.

Je cherche une auberge pour marchands forains. J'en trouve une dans une petite rue. Il me reste assez pour ce soir. Je demande le prix des chambres et ça me convient. Je n'ai pas faim. Je bois un verre de vin. Il n'y a pas grand monde. Je remarque un grand type qui s'est fait servir une assiette de soupe. Je cherche à deviner ce qu'il vend. J'arrête la serveuse. C'est une femme âgée et je sais lui parler. Elle me dit que ce bonhomme c'est un habitué, qu'il vend du fil et des aiguilles sur un petit éventaire et qu'il n'a besoin de personne pour l'aider, sûrement.

Les autres n'ont pas l'air de faire non plus mon affaire. Je suis embêté parce qu'avec le verre de vin et la chambre il ne me reste plus assez pour acheter un paquet de tabac. J'ai perdu plus que ce que je croyais aux cartes. J'ai encore de quoi faire deux pipes avec les débris. Je me dis que j'en fumerai une au lit et l'autre demain matin. Je fais durer le verre de vin encore un peu.

Je n'ai pas dû choisir la bonne auberge. Les gens qui sont là sont sans doute des cultivateurs des environs qui ont pris occasion de la foire de demain pour venir dès ce soir se faire servir à table. Ils n'ont pas besoin de moi, au contraire.

J'en suis là et il m'est impossible de faire croire à personne que ce qui reste de vin dans mon verre compte encore quand je vois entrer un monsieur très bien mis. Ce n'est pas du tout quelqu'un pour ici. Il a un joli pardessus et un chapeau qui semble être venu se poser tout seul sur sa tête sans être touché par qui que ce soit. Il va droit à la serveuse. Il lui parle. Elle l'écoute religieusement. Puis elle se tourne vers moi et me regarde. Le monsieur me regarde et vient vers moi.

Il me demande si je veux *m'occuper* demain. Je dis oui. Il m'examine. Est-ce que je sais conduire un tracteur? Je sais très bien conduire un tracteur ; j'ai aussi mon permis pour poids lourds et je le lui montre. Le monsieur tire une chaise, s'assoit en face de moi et m'explique. Il est représentant d'une marque de machines agricoles et tracteurs américains. Il en a tout un lot qui seront exposés demain matin à la foire. Il s'agit d'abord d'être là de bonne heure. Il m'expliquera rapidement le procédé. C'est facile et je lui dis que dans ce genre d'affaires je me débrouille très bien. Il me fera distribuer des prospectus d'abord. Ensuite, il a loué un champ et il faudra aller faire des démonstrations. Est-ce que j'ai envie de faire ça? Ça me botte tout à fait. Alors, d'accord, et il se dresse. Je lui dis qu'il y a encore quelque chose à mettre au point, et c'est la question monnaie. Qu'est-ce qu'il me donnera? Il me propose deux cents francs. Mais je lui dis que les permis de poids lourds ne courent pas les rues. Il me répond qu'il trouvera autant de jeunes qu'il veut pour essayer gratis ses machines qui sont rouges et très belles ; qui excitent beaucoup l'envie (enfin, il me fait l'article). Je lui dis que la marque qu'il représente, je la connais et que, si on ne va pas un peu mollo, on risque de faire péter pas mal de pièces délicates. Je lui en cite une et je lui cite aussi une manœuvre que ne manqueront pas de rater ses jeunes paysans excités et gratuits. Il voit que je connais la question. Il se rassoit, commande deux verres de vin et me dit qu'il ira jusqu'à quatre cents francs. Je soupire et je dis que je veux purement et simplement le prix de la journée de journalier spécialiste. C'est-à-dire quoi ? C'est-à-dire huit cents francs. Il pousse des hauts cris et fait mine de se dresser mais son verre est plein, il ne va pas le laisser. Comme il ne boit pas, j'estime qu'il reste à table pour toute autre chose et je tiens bon. Nous finissons par nous entendre à six cent cinquante francs, de sept heures du matin à sept heures du soir (car il faudra rentrer les machines dans le garage de son hôtel après la démonstration). Mais il n'y a pas moyen d'obtenir une avance.

Je me sens un peu plus d'attaque malgré tout. De toute façon, la chose m'a donné du crédit dans la maison. La serveuse qui a l'air somme toute, d'être la patronne, me demande si j'ai fait l'affaire. Je lui dis oui et je monte dans son estime. Je décide de fumer mes deux pipes de débris dès maintenant et d'acheter du tabac avant d'aller me coucher.

Je me paye le luxe de jeter un coup d'œil sur les titres du journal mais je n'y suis pas. Je regarde deux types qui font une partie de dames. La serveuse me demande si je ne vais pas au cinéma. Je lui dis non, que d'ici un moment j'irai me coucher. En réalité je n'ai pas sommeil. Je serais capable de marcher toute la nuit mais quand j'y pense c'est comme à une chose tout à fait impossible car j'ai envie de rester ici.

Là-dessus, entre le copain à la guitare. Ça, c'est extraordinaire ! Comment a-t-il su que j'étais ici ? Ou est-ce qu'il est entré par hasard ? Ce n'est pas par hasard qu'il m'a cherché de tous les côtés. Je suis très content. C'est vraiment ce qui pouvait arriver de mieux.

Avant d'avoir réfléchi, j'ai demandé un litre de vin qu'on nous apporte. C'est quand je vois la bouteille que je pense à l'argent. Je dis : « Attends-moi, je vais verser de l'eau. » Je sors et, dans un coin je fais mon inventaire. Il me reste assez pour le litre de vin, à condition de ne pas acheter de tabac et surtout à condition que demain matin on me fasse crédit jusqu'au soir pour ma chambre. Mais ça, je le crois.

Je rentre et, vraiment, je suis très content de m'apercevoir que le copain était inquiet de ma disparition et qu'il est ravi de me revoir. Je lui demande ce qu'il a fait jusqu'à maintenant. Il me dit : « Je t'ai cherché. » Je passe vraiment un bon moment, bien paisible. Il fume ses cigarettes américaines. Je lui dis : « Refile-m'en une.

— Ce n'est pas pour ton bec. Elles me reviennent trente francs pièce. »

Je lui dis gentiment : « Tu es un beau salaud ! »

Il ne boit pas comme Thomas ou comme moi. Il prend son verre d'un geste plutôt dégoûté et la gorgée de vin a l'air de lui entrer en coin dans quelque chose de très sensible. A part ça il a la dalle en pente comme tout le monde. Et s'il trouve le vin aigre c'est qu'il aime l'aigreur, parce qu'il s'envoie les verres dans le cornet à la même vitesse que moi.

J'avoue qu'à cette heure j'y vais bon cœur. Le vin va très bien à mon état d'esprit. J'ai un bon boulot facile pour demain et ce soir le copain est là à me tenir compagnie. Je n'ai besoin de rien d'autre.

Enfin, onze heures arrivent, il faut aller se coucher. Je lui demande s'il a trouvé à se loger. Il me dit que non, que tout est plein. Je vais jusqu'à la serveuse et je lui dis : « Venez un peu voir, on a besoin de vous. » Elle vient. Je lui explique que celui-là est mon copain et qu'il n'a pas trouvé de chambre. Est-ce qu'il n'y a pas moyen de s'arranger ?

C'est difficile ; tout est occupé, à moins que je le prenne avec moi.

— Dans mon plumard, non, il n'y a rien à faire, mais dans ma chambre pourquoi pas ?

— Si vous vous arrangez, dit-elle, moi ça ne me dérange pas.

On monte et on s'arrange. Je mets le matelas par terre et je couche sur le sommier.

Il n'y a pas cinq minutes que la lumière est éteinte, les ressorts me rentrent dans les côtes, il faut que je me tourne et ça fait un pétard du diable.

— Qu'est-ce que tu fais ? dit-il. Où vas-tu ?

J'étais déjà à moitié vaseux ; je me réveille et je dis :

— Quoi ? Où veux-tu que j'aille ? Je me tourne, un point c'est tout.

Dans mon demi-sommeil j'entends claquer son couteau à cran d'arrêt. Qu'il est bête ! Et je ronfle.

C'est un cauchemar qui me réveille. Je rêvais qu'il pleuvait. Foutu le boulot, pas le rond, pas de tabac et des dettes. Obligé de décaniller à la cloche et surtout faire une saloperie à la serveuse qui a fait confiance à ma bonne mine.

Mais non, c'est l'aube. Il ne pleut pas. Une fontaine en bas sur la place fait le bruit qui m'a trompé.

Il est encore beaucoup plus bête que ce que je croyais. Est-ce qu'il ne dort pas avec son couteau ouvert à la main ?

Le gris de l'aube est sur son visage. Il n'est pas beau. Les filles l'aiment, peut-être, mais sûrement pas les hommes. Un fil de salive emplâtre ses lèvres serrées comme quand il s'apprête à tricher ; et cependant il dort.

J'ai encore une demi-heure de sommeil cahoté comme dans un tombereau qui saute sur des pavés, puis je me lève. Je ne fais pas de bruit. Je m'esquive. Je ne me sauve pas. Je laisse ma musette. Je vais travailler.

En bas, j'ai la serveuse à moi tout seul dans une maison endormie. C'est une bien plus vieille femme qu'hier soir aux lampes, et qui fait le café. Je me dégourdis un peu près de son poêle. Elle ne déteste pas d'avoir ainsi près d'elle un homme debout qui se chauffe, aux premières heures du jour.

Nous bavardons. Je lui parle du travail que je vais faire. Elle me dit que le monsieur au beau chapeau est de confiance. Elle est d'accord pour que je règle ma note ce soir.

Je me sens d'aplomb ; et je lui parle de ma barbe que je vais laisser pousser et garder tout l'hiver comme d'habitude. Elle me dit que ça m'ira bien.

Je sors. Il fait frisquet. Le ciel est net comme tous ces jours-ci, et d'un vert bien agréable. La ruelle sent le sarment et le café. Sur la grand-place les forains dressent déjà leurs tentes avec de petits cris de rats dans cette heure matinale. Il y a une forte odeur de velours et de ferblanterie.

Je vais au rendez-vous. Les machines sont là. Ce sont des Mathewson qui ont le levier de déclenchement un peu dur. Je connais ces éléments moteurs réduits à l'extrême. Ils ont tendance à se cabrer dans les montées. A mon avis, ces engins ne sont pas faits pour le pays où nous sommes, mais pour des plaines sans accidents de terrain. A part ça, c'est de la bonne camelote.

Je suis en train de tourner autour de mes sauterelles rouges quand le monsieur au beau chapeau arrive. Il me touche la main. Ça a l'air d'un bon zigue. Je n'avais pas remarqué hier son air ahuri. Ça me le rend bien sympathique.

Il me demande ce que j'en pense. Je lui fais part de mes réflexions avec preuves à l'appui.

Est-ce que j'ai déjà conduit des Mathewson ? Oui, j'ai travaillé avec ces outils-là à Mas-Thibert en Camargue. En sol maigre, c'est épatant. Je lui fais voir ce qui cloche, à mon avis. Je lui montre les crochets d'attelage qui sont très souples et c'est parfait pour le plat. Mais, qu'il se représente son fourbi attelé ainsi dans un terrain qui monte. Qu'est-ce qu'il se passse ? Je lui fais remarquer l'étroitesse de son élément moteur. Est-ce que ça ne lui dit rien ? Montez sur le siège. Il monte et il me dit qu'il voit très bien. Ça va cabrer.

Ça va cabrer, et, si le type qui conduit est trop sûr de lui, s'il pousse, il se retrouvera les quatre fers en l'air avec sept ou huit cents kilos de ferraille sur le ventre.

Il y a cependant un truc. Je n'en finis pas avec ce système ; j'en débiterais jusqu'à demain. Je lui certifie que, pour aujourd'hui, ça fera l'affaire mais que, pour l'usage courant, il devrait conseiller à ses acheteurs de se faire forger un attelage dur : une barre d'acier qui vient s'emmancher là, sous la clavette et ici bloquée à l'écrou ; il n'y a plus de cabrage possible : ça fait béquille sur l'élément-travail.

C'est un type compétent et il comprend très bien. Il me demande si je fume. Je lui dis que oui quand j'ai du tabac. Il me donne tout de suite cent francs et j'y cours. Je reviens. Il a quitté son beau chapeau et il a fourré sa tête en biais sous les attelages. Il la retire et me propose un petit vin blanc. Je surveille surtout la façon dont il ramasse et tient son chapeau. J'ai compris c'est par l'intérieur. Il a des trucs lui aussi.

Des autocars et des automobiles arrivent à chaque instant. Il en descend des gens endimanchés. Il y a une belle affluence et beaucoup d'agitation. Le monsieur me donne toutes les indications pour la distribution de ses prospectus. Il me dit de faire le va-et-vient sur le pré de foire jusque vers les dix onze heures. Après, on partira en caravane jusqu'au champ où doit se faire la démonstration. C'est en bordure du bourg, juste à la sortie.

Nous retournons à nos engins. Il y a une défonceuse. C'est celle-là que je vais traîner en premier. Un sillon suffira. Où j'aurai le plus de boulot c'est avec la charrue à quatre socs. Bien entendu, nous ne touchons pas à la moissonneuse-lieuse. Tout ça est fort joli et c'est installé adroitement en plein soleil. Les couleurs ressortent ; c'est alléchant. Il y a déjà tout un public. Le monsieur me donne vite mon paquet de prospectus et il commence à faire l'article. Moi je vais me balader.

Il y a un monde fou. Je fourre mes papiers dans toutes les mains qui se présentent : femmes, filles, enfants, vieillards, tout y passe. Je circule dans les avenues bordées d'éventaires de toute sorte. J'ai la tête pleine de mon tracteur et je voudrais qu'il y ait beaucoup de monde pour me voir dans mes exercices. Pour le moment, ça va très bien, on se dispute mes papiers comme des petits pains, mais ça ne veut rien dire. Je sais qu'ils ne peuvent pas refuser un papier imprimé surtout avec une image, et surtout avec une image de mécanique.

Je me demande ce que fait mon artiste à moi : s'il s'est réveillé et s'est enfin trouvé couillon, tout seul, son couteau ouvert à la main.

Je prends un bon coup de foire qui est maintenant parfumée à la poudre de riz. Je vois des filles de toutes les formes, les tailles et les couleurs, bras dessus, bras dessous, en bande ou avec les mères habillées de noir, mais bien décidées aussi et qui se dirigent surtout vers les marchands d'ustensiles de cuisine. Il y a deux ou trois haut-parleurs qui font un vacarme du tonnerre de Dieu avec des danses à trompettes et des aboyeurs qui s'engueulent et se coupent la parole par-dessus la tête des chalands.

Je joue mon rôle au milieu de tout ça en dégustant une bonne pipe. Je reçois des ramponneaux ; on me bourre les côtes, on me marche sur les pieds mais je suis un de ceux qui savent apprécier le plaisir d'être entassés. On se regarde tellement sous le nez, hommes et femmes, qu'on ne peut plus rien prendre au sérieux. Et en effet, je rigole. Je distribue mes papiers avec bonne humeur. Un mot pour le grand-père, un mot pour la mère, un mot pour la fille. Ils me prennent tous pour ce que je suis : un type d'attaque et bon enfant. Quel dommage que je n'aie pas ma belle barbe !

Dans un coin, il y a un accordéon qui miaule et je pense de nouveau à mon artiste. Est-ce qu'il ne serait pas par là, lui aussi, à gratouiller sa guitare ? Quelque chose me dit que non. Et en effet, je fais le tour partout et je ne le vois pas.

Je pousse jusqu'à l'auberge. On me dit qu'il est descendu et sorti.

Ce n'est pas encore mon heure. Je flâne un peu par les petites rues et les boulevards. L'animation est partout. On vend des porcs sacrément beaux, sur une petite place pleine de cris. Les cafés dégorgent et enfournent des paquets d'hommes à grand chapeau de feutre. La porte des magasins s'ouvre sans arrêt. On vient à chaque instant enlever les objets exposés en vitrine. Chaque étalage est aimanté et retient toute une limaille. J'écoute par-ci, par-là, les boniments de ceux qui vendent « à la gueule ». Ce sont des pierres à aiguiser, des faux, des briquets (qui, entre parenthèses, me font envie), des paquets de cordes, des stylos à bille qui écrivent sous l'eau (les gars sont passionnés pour ces machins-là), des salopettes américaines, des canadiennes de *surplus* (ça aussi c'est mon péché mignon : ces trucs-là me font venir l'eau à la bouche. Il me semble que j'y suis déjà, carré bien au chaud là-dedans. Mais c'est quinze mille francs, je peux courir!), des rasoirs de sûreté, des parfums et même des livres, tous à dix francs, dans lesquels je me paye le luxe de farfouiller ; mais il n'y a rien qui me plaise. Je ne vois mon artiste nulle part. Et, c'est mon tour de monter en selle.

Il y a beaucoup de monde autour de nos engins. Dès que le monsieur m'aperçoit il me fait faire place et j'arrive à côté de lui au milieu du cercle. Ils me regardent tous comme le veau à cinq pattes. Je ne me prends pas moi-même pour le premier venu quand je monte sur le siège. Je démarre avec aisance et nous partons pour le champ de démonstration.

C'est moi (disons que c'est plus exactement cette grosse sauterelle rouge que je chevauche et les deux charrues qui me suivent avec leurs socs dressés comme des anges piocheurs) l'aimant le plus puissant de toute la foire. Je la traverse et on s'écarte pour tout de suite m'emboîter le pas. Les aboyeurs se taisent sur mon passage. Il n'y a plus que les haut-parleurs qui me font un petit accompagnement de trompette. Pour qui a l'âme romanesque (comme bibi) c'est un moment à déguster.

Je ne m'en fais pas faute. Je manœuvre au milieu de tout ça comme Dieu le Père en personne. Je donnerais toute la paye de la journée pour que mon artiste, avec sa guitare et ses jeux de cartes soit dans un coin à se rincer l'œil de ce spectacle de choix.

Le champ où je dois évoluer est dans des peupliers magnifiques. Il est plus plat que je ne l'imaginais. Le monsieur a de la jugeotte. Je vois tout de suite dans quel sens j'ai le plus de chance.

Il y a un petit laïus, et c'est à moi. Un premier essai avec la défonceuse. J'ai déjà vu d'un coup d'œil que la terre ici est sensible et va marcher avec moi. Je me place. Je déclenche l'énorme soc qui s'abaisse ; je vise en face de moi un alisier rouge et je pars droit comme un I dans sa direction. Tout ça a duré deux secondes. Personne ne doit s'apercevoir que je suis quelqu'un. C'est la machine qui doit tout faire. Je crois avoir joué le jeu en première.

D'abord, je suis tout seul dans le champ. Derrière moi, tout le monde a fait silence. Je n'entends que le bruit souple de la terre aimable qui se déchire à ma fantaisie. Puis, je vois du coin de l'œil un homme à grand chapeau de feutre qui arrive à ma hauteur et m'accompagne. Un autre est arrivé de l'autre côté. Maintenant, sans perdre de vue l'alisier qui me sert de mire, le coin de mon œil est tout obscurci du moutonnement de plus de cent chapeaux de feutre ; j'ai tiré tout le monde après moi. Ils sont tous penchés sur la machine, sur le sillon profond qu'elle creuse. Arrivé au bout, j'évolue. Reste à savoir ce que j'ai fait. J'ai fait un sillon raide comme une barre. Il n'y a qu'à lever son chapeau. Je me décramponne du volant.

Après ça, la charrue est un jeu d'enfant. Tout le monde ne cesse de m'escorter à l'aller et au retour, pendant des heures. Ils ne peuvent pas se rassasier du spectacle de cette terre qui se fend et se bouleverse comme du beurre.

On mange un morceau sur le pouce. Je me demande ce que fait mon artiste. J'aurais été content de lui faire voir ce que c'est que le travail. Il est capable d'avoir pris en mauvaise part mon départ en douce de ce matin alors que c'était simplement pour le laisser dormir, lui et son couteau idiot. Il a peut-être repris la route.

J'ai du vague à l'âme. Comme partout, les routes qui partent d'ici vont partout. Il est impossible de garder quoi que ce soit ni personne. On s'attache, on n'attache pas.

Le monsieur est assis à côté de moi, dans l'herbe, au chaud de la haie. Il dépiaute le saucisson avec ses doigts très vaillamment. Nous avons un verre chacun et nous buvons le vin de l'hôtel qui n'est pas mauvais.

Je demande une petite demi-heure de répit, qu'on m'accorde. Je saute jusqu'à l'auberge. L'artiste n'est pas venu manger. Je vais à la piaule ; il n'a rien laissé. Il est vrai qu'aujourd'hui c'est un jour à se servir de la guitare.

Je retourne à mes sauterelles rouges. Il y a déjà du monde pour les regarder mais cette fois on a l'air d'y aller plus mollo, en ce qui me concerne, tout au moins. Le travail qui est marqué dans le champ a l'air de suffire. Les grands chapeaux de feutre vont se pencher sur les sillons puis reviennent se pencher sur les socs, les engrenages, les câbles et les leviers. On m'interroge et je dis ce que je pense. Enfin, pas tout à fait.

Ce n'est que vers les trois heures qu'on me dit de repartir encore une fois avec la charrue à quatre socs. Je le fais. J'ai l'impression d'être dans une terre un peu moins docile. Je vise un érable tout en cuivre astiqué mais j'en ai plein les bras pour le garder en face de moi. Je sens aussi que mon élément moteur est moins assis que ce matin. Quoi qu'il en soit, j'en viens à bout et c'est aussi bien que ce que j'ai déjà fait.

Le monsieur est en pourparlers avec un petit homme. Dès que j'ai fini de tourner il m'appelle et j'assiste à la conversation. C'est un acheteur. Il pèse le pour et le contre à l'aide d'une grande femme maigre mais solide, habillée de noir comme les femmes âgées, bien qu'elle ait à peine quarante ans. C'est elle que je regarde avec plaisir. Ses yeux sont braqués sur moi mais ne me voient pas. Elle modifie la barre chez son mari rien qu'avec de petits mouvements de tête. (J'envie ceux qui ont cette chance. On peut se foutre de moi mais c'est comme ça. Et c'est après mûre expérience et réflexions.)

Je suis pris d'un fol amour pour ce petit homme râblé et pétri en boule par qui sait combien d'hivers et de moissons à travers ses père et mère. Question tracteur et charrue mécanique, il ne dit pas de bêtises. Il n'a un peu à se défendre que contre la belle couleur rouge et contre les sillons droits et profonds que j'ai creusés.

C'est ça qui l'intéresse. Il va les tâter. Et il me prend à partie. Il me semble être peloté dans de la laine chaude. Il a le *parlé* affectueux et paisible. Il regarde droit avec de beaux yeux marron. Nous faisons une petite amitié. La femme surveille et laisse courir.

J'explique le maniement de l'engin devant un auditoire dont mon petit homme est le roi. Enfin, il monte sur le siège, je l'accompagne sur le marchepied et il démarre. Il va jusqu'au bout en m'obéissant comme un enfant mais on ne peut pas dire qu'il ait tiré droit. A côté des miens, son sillon fait figure, cependant personne ne se moque. On comprend qu'il y a du doigté à acquérir et qu'à la fin, tout se fait dans la nature, quand on y prend la peine.

L'affaire se fait. Ça coûte un beau paquet de cent mille francs. J'aime beaucoup ce couple. Lui est franc comme l'or. Elle fait tout juste l'alliage qu'il faut pour que cet or résiste à l'usage courant.

Mon monsieur m'appelle. Il doit y avoir un os. Il me demande si je suis libre. Libre de quoi? C'est le petit homme qui me voudrait huit à dix jours, peut-être plus, si nous nous plaisons. Je lui dis qu'il me plaît assez et je fais mon sourire. Il me fait le sien. La question de liberté, c'est autre chose. Bien sûr que je suis libre ; comme l'air. En réalité, je n'avais pas l'intention de rester ici. L'intention et l'action, ça fait deux, je le sais, mais il me prend un peu de court. Souvent, il ne faut pas calculer. Je sais ça aussi. Il me demande ce qu'il y a.

Il n'y a rien. C'est un jeune type que j'ai rencontré hier. Un petit gars ; et je ne voudrais pas le laisser à la traîne. Je me fais les plus grands reproches. Il s'agit de ce que je dis comme de ma tante la borgne. Je suis si honteux que j'accepte. J'irai demain. Le petit homme me donne toutes les explications pour trouver sa ferme, l'heure du car, le croisement des routes. Je suis paré. Le bonheur est un travail solitaire.

Nous avons eu en somme un succès fou. Je rentre les engins au bercail. La foire est finie. La nuit tombe. Un vent aigre arrache les feuilles mortes aux tilleuls. Les forains luttent avec des bâches, des piquets et des cordes.

Je suis accosté par une sorte de grand flandrin, fort comme un Turc, sous un béret à faire de l'huile. Il est plein comme un œuf mais il tient magnifiquement debout sur ses jambes écartées. Il me dit que je lui botte et il me dit qu'un jour comme aujourd'hui... Enfin, il n'en revient pas d'avoir vu fonctionner les mécaniques. Je ne sais pas comment il les voit à travers les gloires du vin mais, à en juger par ses yeux ronds, ça doit être un fameux spectacle. Il me propose la tournée des grands-ducs. Et ça devient tout de suite mon idée personnelle. Je lui dis : « Attends, je vais me faire payer et j'arrive. »

Mon monsieur me donne sept cents francs. Il va livrer demain la charrue et le tracteur au petit homme. Il me propose de m'emmener. Je dis « d'accord ». Il serait tout à fait disposé à me faire un laïus de première sur la ferme où nous devons aller mais je le coupe et je me débine. Il me rattrape par le pan de ma veste et il tient surtout à me dire que c'est une ferme de cocagne. Je lui réponds gentiment tout ce qu'il faut pour qu'il me lâche.

Je ne suis pas plus tôt sorti que mon éléphant à béret me prend par le bras. Je me demande si je rêve ou si je vois déjà double. Ils sont deux de la même taille extraordinaire et de la même dégaine : béret et pantalon housard. Je croyais que ça n'existait plus que dans les images.

Je sais tout de suite qu'ils sont charpentiers dans une entreprise qui construit des chalets en bois dans la montagne. Ils proclament qu'ils sont inséparables et que, si j'ai rencontré l'autre tout seul tout à l'heure, c'est que le second pissait contre un arbre. Je trouve l'explication parfaitement logique. Ils n'en finissent plus de me demander des détails sur les sauterelles rouges. Ils en sont à un point d'ailleurs où ils n'écouteraient même pas le pape donner sa bénédiction et je n'ai qu'à me taire. Si les tracteurs étaient sur la place ils seraient capables de jouer au foot-ball avec, tellement ils sont excités.

Nous avons décidé de ne pas faire de détail. Il y a quatre bistrots autour de la place, nous les prenons tous les quatre bille en tête. Nous nous traitons d'abord soigneusement à l'anis. C'est en descendant le dixième que je pense que je n'ai presque pas mangé d'aujourd'hui, à part le saucisson sur le pouce à midi.

J'ai une idée lumineuse. Admettons que mon artiste ne soit pas parti et ait fort sagement fait sa foire de son côté ; il se peut fort bien que, dans la foule, je ne l'aie pas remarqué. Il a pu aussi s'embaucher dans quelque orchestre de danse. Je sais que j'ai tendance à toujours imaginer le pire. Admettons qu'au contraire à l'heure qu'il est, le petit agneau soit gentiment assis à m'attendre à l'auberge, et qu'il se fasse du mauvais sang pendant que je m'en fais de mon côté. Ça me paraît clair comme le jour ; même aveuglant. Et tellement bien.

Pour le moment, je suis frais comme l'œil ; à peine si l'anis fume un peu dans mes moustaches. Question équilibre et présentation je ferais la pige à des quantités de préfets. Je marcherais sur un fil de fer à dix mètres de hauteur. C'est avec cette démarche-là que, moi en tête, nous allons tous les trois à l'auberge. Je suis un peu étonné de n'y pas trouver l'agneau. Puis, ça me fait une peine considérable.

Je présente mes deux éléphants à la serveuse. Quoiqu'elle nous fasse la tête, et à moi en particulier, elle nous apporte du vin rosé qui est loin d'être cochon. On se met à ça avec conscience et détermination. J'entends dire et répéter que l'artiste n'a pas donné signe de vie depuis qu'il est parti ce matin. Je m'en tamponne le coquillard. Alors, pourquoi est-ce que je le demande à chaque instant? Qui le demande à chaque instant? Toi. Vous. Mes deux éléphants et la serveuse me regardent en chien de faïence. Je crois que je les envoie faire foutre, et suit un petit moment de désordre et de confusion. Rien de grave parce que, tout de suite, j'ai la larme à l'œil et on est aux petits soins pour moi. Les éléphants me défoncent l'épaule à coups de tapes. Ils me donnent le mal de mer. Je sors précipitamment et je vomis. C'est ensuite une longue conversation amicale sur ceux qui tiennent le litre et ceux qui ne le tiennent pas. Je prétends que je le tiens mais qu'il ne faut pas m'agiter comme ils l'ont fait. Les éléphants prétendent qu'on peut les agiter comme des flacons de purge. Là-dessus je les bourre et pas de main morte. Ils prennent l'œil rêveur et ils font déjà des renvois comme des coffres. On nous vide comme des malpropres juste à temps et ils vont finir dans un coin de rue. Je remets ça à côté d'eux.

Tout de suite après, on est mieux. Nous décidons de nous saouler comme des hommes et pas comme des enfants. Il faudrait bien que je mange un morceau. Nous allons chez une mère Lantifle, dans une ruelle au fond d'une cour. Elle a de la soupe aux choux qui nous donne faim. On n'est pas plutôt attablé devant nos trois assiettes que je parle, mon cœur se fond.

Il est difficile d'être un monde tout seul. Il y a des jours où j'y arrive. Ce soir, il me semble que je n'y arriverai jamais plus.

Les éléphants sont inquiets. Je leur raconte l'histoire d'un copain magnifique, affectueux et fidèle et tout, qui se ferait couper en quatre pour moi. Toutes les qualités que je trouve, je les lui donne. Et je cite des faits où il a été courageux, honnête, sensible, prévenant, dévoué. A mesure que je parle, mon cœur se fond.

Les éléphants en bavent. Je dois dire qu'ils en ont abandonné leur soupe aux choux. Ils m'accablent de questions. Comment est-il? Je le leur dis. Quand je parle de la guitare ils n'osent plus souffler. Je leur raconte le coup des cartes. J'en rajoute de tout mon cœur. Ça va mal.

Brusquement, je ne dis plus rien car je sens très nettement que le fameux copain dont je parle est en réalité le plus beau salaud que la terre ait jamais porté : la vache finie, voleur, menteur, égoïste, la saloperie incarnée, capable de tromper père et mère, de se vautrer dans la merde avec la joie d'une truie. J'en rajoute tant que je peux. J'ai beau en rajouter, il me manque.

On décide un truc héroïque. On va le chercher. D'abord ici. On va passer le patelin au crible. Si on ne le trouve pas, nous voilà partis. On fait les projets les plus sensationnels. On calcule que, s'il a foutu le camp ce matin, à quatre kilomètres à l'heure, ça fait tant. Tenant compte qu'il a dû s'arrêter une fois ou deux et qu'à l'heure qu'il est il doit en écraser dans quelque piaule, c'est facile ; si on se mêle de vouloir le rattraper, on le rattrapera. Les éléphants annoncent qu'ils font facilement sept kilomètres à l'heure. Je dis que c'est beaucoup. Ils disent oui avec modestie mais qu'ils les font. D'ailleurs, moi aussi. Et je fais mieux. Dans le cas qui nous occupe, je suis capable de faire dix kilomètres à l'heure. Ça leur paraît un peu plus difficile à digérer. Alors, je les engueule. Ça me soulage. Je les traite de tous les noms. Ils en restent baba. Moi aussi. Je me sais capable de beaucoup de choses mais ce que je leur sors m'épate quand même un tout petit peu. Je leur dis : « J'ai su qui tu étais dès le premier jour. Tu es un petit fumier. L'amitié ? Tu crois que je marche ? J'ai vu clair vingt ans avant toi. Sais-tu où j'en suis ? A ce que le toc me suffit amplement. J'achète du toc. J'en suis là. Je me goberge avec du toc. Je me suis payé du toc les yeux ouverts. Fais ton compte, fumier. C'est toi qui en es de ta poche. »

Ils sont moins saouls que je croyais. Ils font ceux qui regardent ailleurs. Ils savent ce que c'est d'en avoir gros sur le cœur. Ils me répondent qu'ils ne comprennent rien à ce que je raconte, que de toute façon on a assez mariné ici dedans où ça pue le chou et qu'on va prendre l'air.

Le dehors me dessaoule. Je leur dis : « Ne faites pas attention à mes histoires, c'est le vin qui sort. » Ils sont de cet avis et en même temps d'un autre : ce serait qu'il est temps de commencer à se cuiter sérieusement.

On s'y met. On attaque les petits verres. On les fait défiler. Ça descend comme à Gravelotte. On fait le bourg du haut en bas et en travers. Il n'y a pas un bistrot et pas un tabac qui peut se vanter de nous passer sous le nez. On fait même les petits bouis-bouis qui sont dans les impasses, sous des porches, au fond des cours où bêlent les chèvres. A un moment donné, on échoue chez une sorte de couturière à la noix qui nous débite un marc ignoble sur la tablette de sa machine à coudre... On n'est pas foutu de dire ni pourquoi on est là ni comment on y est venu. Ni comment on en sort.

De temps en temps on croise un boulevard avec de grands arbres plus noirs que la nuit. Et où rien ne se passe. Rien. Le vent est dégueulasse avec son truc de foin et de feuilles qu'il traîne pour faire le malin. Nous savons très bien, les deux copains et moi, de quoi il s'agit, dans la vie courante. Nous passons sous des réverbères et je vois que nous avons de sales gueules qui ne rient pas. Nous entrons dans des maisons particulières où mes deux types ont censément des amis. Il est tard et tout le monde est couché. Mais, dès que nous frappons à la porte et qu'on voit dans quel état nous sommes, on se lève, on nous ouvre, on nous fait entrer dans la cuisine, on nous sert, debout, de petits verres de marc les uns sur les autres et on nous demande un bon prix. Après, on manœuvre pour nous foutre dehors ; et on y arrive toujours. Nous allons de maison en maison et de bistrot en bistrot. Nous espérons quoi ?

J'ai maintenant ma grande forme. Je suis réveillé de

la tête aux pieds. Je serais capable de compter les plumes d'un édredon en un clin d'œil. Je sens le mou des pavés et je m'accoude sur le vent. Il n'est plus nécessaire de rester fermement debout ; je vis très bien en oblique.

Nous nous prenons gravement à cœur. C'est le moment où le jeu en vaut la chandelle. Rien de plus épatant que de marcher avec la vitesse acquise, en se foutant du tiers comme du quart. On est quelqu'un.

On est venu dix fois dans ce bistrot. On y retourne et, cette fois, la porte du fond est ouverte. Il y a du grabuge, là-bas, dans l'arrière-boutique. Tu parles, si on va rater l'occasion de se montrer. On s'avance tous les trois et, ma foi, le spectacle nous plaît beaucoup. Ce sont des types qui se battent ou, plutôt, qui sont en train d'en tabasser un. Et celui-là, c'est l'artiste : en chair et en os! J'avoue que, pendant la seconde où je le reconnais je suis content du marron qu'il est en train de prendre en pleine poire. La seconde d'après, je suis déjà à côté de lui et je l'ai fourré derrière mon dos où il se tient peinard. Le roi n'est pas mon cousin. On est tombé drôlement à pic.

Je dois recevoir un coup de poing. Il me semble. Je n'en suis pas sûr. Le côté qui fait face aux types en colère est en acier et je ne sens rien. C'est le côté contre lequel l'artiste se colle qui est sensible. Je sens ses mains qui sont agrippées à ma veste.

Je suis trop au-dessus des manigances terrestres actuellement, pour m'occuper de recevoir ou de rendre des coups de poing. Je repousse simplement les énergumènes et je parle. Je parle même assez fort et certainement très bien. Ça continue à jeter de l'eau sur le feu. J'ai à peine besoin de faire rebondir un des plus acharnés qui a l'air d'en vouloir un peu plus.

Ce qui contribue aussi à nous donner du poil de la bête ce sont mes deux éléphants. Ils sont ravis de l'intermède et eux, ils le prennent de haut ; c'est le cas de le dire. Ils ont flanqué leurs grandes pattes dans la bouillabaisse. Je vois deux ou trois zèbres qui en sont désarçonnés et qui se secouent les oreilles.

Il est maintenant question de s'expliquer avec la parole que Dieu nous a donnée. Tout le monde parle à la fois. J'en profite pour jeter un coup d'œil à l'artiste. Il est vert et il saigne du nez. Je suis aux anges. Je lui dis : « Alors, connard ? » Mais très gentiment. Il est collé à moi comme un pou. Il donnerait maintenant la terre entière pour que je reste son parapluie. C'est une nuit du tonnerre !

Il y a malgré tout là-dedans, sans compter l'artiste, mes deux éléphants et moi-même, neuf zèbres très excités. On ne voit que des moustaches, des barbes et des bouches ouvertes. Tout ça gueule et montre les dents. J'en repère deux ou trois très malabars. Le reste, c'est du garçon coiffeur ; ça a trente centimètres de haut et ça pèse dans les quarante kilos. Ça jappe, mais s'il s'agissait de se mettre vraiment au boulot, ça sauterait par la fenêtre. Les malabars, pardon et minute, c'est un tout autre tabac. Et même, ils sont quatre.

Voilà la situation. Je montre mon côté beurre et fromage. Je fais l'œil doux, je parle souple. Quel dommage que je n'aie pas ma belle barbe ! Dans ces occasions-là elle me sert bien. Je fais cependant bon effet. Et surtout avec un coup sec que je donne au petit roquet qui revient tout le temps à l'attaque. Il se le tient pour dit et même ses collègues l'asticotent. Il tombe assis sur la banquette (ils ne s'en sont pas doutés mais je l'ai sérieusement sonné en dessous de la ceinture. Il a en pour un quart d'heure à reprendre la respiration. Ça ne lui fera vraiment mal que demain matin). Nous avons le temps de voir venir. En tout, ça ne fait plus que huit.

De quoi s'agit-il? Il serait temps de le savoir. On ne tombe pas à neuf ou dix sur un pauvre bougre. Ça ne se fait pas. D'autant plus que c'est mon copain. Si on a quelque chose à dire, qu'on le dise. On est là, maintenant pour s'expliquer. Allez-y.

C'est un ramadan de tous les diables. Ils ont tous quelque chose à lui reprocher.

Il ressort de la conversation (si on peut dire) que c'est un tricheur. Est-ce qu'on a des preuves? Des preuves! Ils s'étranglent. Des preuves! Ils ne savent plus quoi faire de leur salive. Ils crachent comme des phoques. Des preuves! Oui, je sais.

Il est arrivé ici, disent-ils, ce matin et il n'a plus démarré de faire des pokers tout le jour. (Je bois du lait. Poussière, le poker.) Demandez-lui un peu combien il gagne. Il en est sorti, des plumés, de cette pièce. Maintenant, il y en a marre. Il a fait les paquets. On l'a vu. Il va cracher ou alors il y passe. Et on me dit de me sortir de là. Naturellement pas pour un empire. Je mouche encore un garçon coiffeur qui s'intéressait à mon gilet d'un peu trop près et je conseille : « Doucement, les basses! »

Alors, un des malabars d'en face prend l'affaire en main. Il me demande qui je suis et il ajoute qu'il s'en fout. Que si ce type-là est mon copain c'est une vache et qu'il s'en fout. Et qu'il s'en fout tellement que, lui, tel que je le vois et ces deux autres (des gros) sont descendus exprès de Saint-Crépin pour foutre une tournée à la vache qui se cache derrière moi. Parce que, dit-il, il y a quarante-huit heures, il les a carottés de plusieurs mille francs, en plus de diverses autres saloperies qu'il a laissées à titre de prime derrière lui. Et si j'ai quelque chose à dire, que je le dise.

Évidemment que j'ai quelque chose à dire mais, comme toujours, ça n'a rien à voir avec l'affaire présente. De ce temps-là, mon artiste est collé contre moi. C'est tout juste s'il ne fourre pas sa tête sous ma veste. Il claque des dents. Il me dit : « Casse-leur la gueule. » Ça me paraît être en effet l'idéal. Comme si c'était à la portée de toutes les bourses! Outre qu'à mon avis ce n'est même pas la marche à suivre.

Je pose des questions et on y répond. C'est toujours ça de gagné. Ça vasouille. On se perd dans les détails annexes. C'est tout à fait ce que je désire. J'ai cependant peu à peu la conviction qu'il ne s'agit pas seulement de jeux de cartes et qu'il s'est passé quelque chose d'assez fameux à Saint-Crépin. Ce n'est pas très clair. Mes zèbres n'ont pas l'élocution facile. Ce qu'on comprend le mieux c'est que ce sont des bûcherons.

Ils le disent de toutes les façons, en se tapant du poing sur les pectoraux comme des gorilles. Ça ne plaît pas du tout à mes charpentiers. Et ils prennent l'initiative. Comme des brutes. J'entends passer près de mes oreilles une sorte de marteau-pilon qui va atterrir en plein sur la figure du malabar qui me faisait face. Le sang gicle jusque sur moi. C'est foutu.

L'artiste me tire en arrière. Je m'assois sur une table. Je me débarrasse de deux garçons coiffeurs. J'en cueille un troisième qui d'ailleurs foutait le camp. Le reste est vraiment très vilain à voir.

Je pense brusquement au couteau à cran d'arrêt et j'ai peur de ça. Je pousse l'artiste dans la porte et nous nous débinons. J'entends éclater des vitres et des cris d'abattoirs. Nous faisons un cent mètres à toute vitesse dans les ruelles avec virages à la corde et tout le saint-frusquin jusqu'à ce que l'air nous manque.

Silence.

Nous filons droit devant nous. Nous rencontrons un beau boulevard souple et désert qui fait le chat dans le vent avec ce qui reste de feuilles dans ses arbres.

Nous sortons du bourg. Nous marchons à toute allure. Je suis tout à fait dessaoulé. Nous venons de faire les cons et je le regrette mais c'est trop tard. L'artiste marche devant moi, vite et sans souffler. Je remarque qu'il porte sa guitare. Qu'une guitare soit sortie entière de ce cassage de gueule, c'est à considérer. Et le sang-froid qu'il a fallu pour penser à l'emporter.

Nous prenons des chemins de traverse. Il me semble que nous sommes déjà assez loin. Il me dit que non et qu'il faut mettre beaucoup d'air entre les types de Saint-Crépin et nous. Je ne vois pas pourquoi il en faut tant. Ce n'est pas la première fois que des hommes se tabassent.

Nous entrons dans un bois. Quand nous en sortons, nous surplombons le pays de haut. Il n'y a pas de lune mais, grâce au vent, beaucoup d'étoiles. On distingue au-dessous de nous la vallée et la grand-route. Le flanc de la montagne nous cache le bourg, mais il y a de ce côté-là une poussière de réverbères. Somme toute, ici, ce serait plutôt la paix.

J'entends des motocyclettes. Je vois les phares sur la grand-route. Il me dit : « Voilà les types. Ils me cherchent. Ils peuvent courir. »

Nous continuons à monter. Je me dis que, s'il a vraiment fait une saloperie à Saint-Crépin, elle ne doit pas être bien monstrueuse. Je n'ai pas de raisons d'être si confiant, sauf le fait qu'il n'a pas essayé d'aller bien loin et qu'il s'est arrêté à la foire où il pouvait bien prévoir que les autres viendraient. C'est un bon point pour lui, somme toute.

C'est tout simplement un gars qui a la trouille. Je lui dis bien gentiment qu'à mon avis c'est marre ; et, où est-ce qu'on va aller taper de tête par ces chemins ? Est-ce qu'il compte cavaler toute la nuit ? Il me répond : « Je pense bien. Est-ce que tu veux geler au pied d'un arbre ?

— Non, mais, il n'y a pas non plus de quoi prendre le mors aux dents. Les types ont reçu une volée. Et après ? Ce n'est sûrement pas la première. Il ne s'agit pas de se monter le bourrichon. Le plus simple maintenant c'est de rentrer au bercail, à la papa. » Il n'y a rien à faire, il ne veut pas. Alors, en avant.

Quand le jour se lève je commence vraiment à en

avoir plein les bottes. Nous sommes à la lisière de grands bois de hêtres. Il ne fait vraiment pas chaud. On tombe sur une bergerie vide. Quand le diable y serait, il faut que je fasse un petit roupillon.

Après, je suis un peu plus d'attaque, malgré une faim de loup. J'essaye de me renseigner un tantinet.

Il y a déjà un moment que je me renseigne sur mon propre compte. Je suis réveillé en sursaut. J'ai vu mon artiste debout devant la porte de la bergerie. Il regarde le petit bout de pâture clairière et les arbres rutilants sous le soleil. J'ai refermé les yeux. Je me suis passé en revue et c'est moche. Ce que j'ai fait à la serveuse de l'auberge, c'est très moche. Qu'elle soit la patronne ou la serveuse, c'est très moche. Je suis parti sans payer et elle m'avait fait confiance. Je déteste ça. Pas plus tard qu'hier matin je me chauffais à son poêle pendant qu'elle faisait le café. Je jurerais que pas un cheveu de sa tête ne devait penser que j'étais un salaud. Pas un cheveu de la mienne non plus. Elle doit le regretter et je le regrette. Qu'y faire? C'est comme ça.

J'ai beau le tourner et le retourner de tous les côtés, l'artiste la boucle d'une façon magnifique. Dans ce genre d'interrogatoire, je vous fiche mon billet que j'ai la main, d'habitude, et du doigté. Mais il est bien plus fort que moi. Pour savoir ce qu'il a fait à Saint-Crépin je peux toujours repasser. Il ne refuse pas de répondre, au contraire, il répond. Il ment. Il s'en tient fermement à son mensonge. Il embellit son mensonge. Je m'y connais et j'en bave. Il ment franc, si on peut dire. Je sais qu'il ment, il ne s'en cache pas et je sais qu'ayant écouté ce mensonge je ne saurai jamais la vérité. Même si un autre me la dit, même si cent autres me la disent. Même si j'ai des preuves. *J'ai trop intérêt à croire ce qu'il dit.* Et qui est si bien arrangé.

Ça, mes enfants, ça demande une sacrée habitude. Me voilà bien loti!

Il me raconte que, quand je suis entré avec mes éléphants dans l'arrière-boutique du bistrot, les bûcherons venaient juste d'arriver et de le surprendre. C'est pour ça qu'il s'était caché tout le jour. Il les avait aperçus sur le champ de foire. Il ne croyait pas que tout se déclencherait si vite. Il a fait de petits pokers, oui. Pour se désennuyer. Mais rien de grave. Son idée, c'était de revenir près de moi en pleine nuit. Il n'a, dit-il, que moi. Il m'aurait tout dit comme il me dit tout maintenant et nous aurions tiré des plans. Comme nous allons le faire.

Jusque-là c'est parfait. C'est un mensonge parfait. On peut y croire. Et je ne demande pas mieux.

Je suis désespéré d'avoir du bon sens ; mauvais outil pour le bonheur. Je ne peux pas m'empêcher de dire des choses idiotes.

— Quoi! Au bout du compte, il s'agissait en tout et pour tout d'un cassage de gueule. Ça n'a jamais fait de mal à personne. C'est comme pour les tapis : ça chasse les mites. Ça n'est pas la mer à boire. Mettons les choses au pire : si je n'étais pas arrivé tu aurais peut-être le nez cassé. Et après ? On vit très bien avec un nez cassé. En tout cas, il ne s'agit pas maintenant d'en faire une affaire d'État et de se retirer au désert.

— Si tu n'étais pas arrivé, dit-il, ce n'est pas le nez qu'ils me cassaient, c'est les reins. Et ce qui restait, ils le donnaient aux gendarmes. C'est ça que tu veux? Je l'ai bien mérité.

Gendarmes, évidemment ça change tout. Mais bon Dieu, qu'est-ce que tu as fait à Saint-Crépin?

On ne le saura jamais. Je l'écoute et c'est l'histoire d'un saint qu'il me raconte. Des peccadilles, toutes amplement justifiées d'ailleurs. Il n'y a pas de quoi fouetter un chat. Alors?... Les gendarmes, qu'est-ce qu'ils ont à voir dans cette aventure? Ils écoutent la méchanceté des gens. Je me rassure avec cette vérité incontestable.

Bon. On va partir de ce principe : nous sommes de petites fleurs; des pâquerettes, blanches comme de la neige; et les gens sont méchants. Ça colle admirablement avec ses mensonges. Je décide de m'en tenir là.

On continue à monter dans la montagne. On passe de l'autre côté, on descend dans des prés. Nous arrivons à un hameau très joli. Il est dans des vergers de châtaigniers et toutes les maisons ont un tapis de fleurs devant les portes et fenêtres.

Je frappe à un carreau et je demande poliment à acheter un peu de boustifaille. Il n'a pas l'air de se rendre compte que c'est presque un miracle (j'ai mis tout ce que je savais dans le ton pour demander ça) mais on nous vend du pain, du lard et des fromages. Il lui manque quelque chose à ce gars-là. Il faut vraiment qu'il comprenne l'a b c du métier et que, notamment dans les hameaux comme ici où ils ont tout à gogo on est toujours suspect quand on demande à acheter de quoi manger. Souvent, et c'est une malice, il vaut mieux mendier. On n'a rien mais on n'est pas incompréhensible. On est classé comme pauvre bougre. Si on propose de payer c'est qu'on a des sous, et si on a des sous, pourquoi qu'on se balade? Pourquoi qu'on n'a pas un chez-soi, des femmes et des enfants? On est quoi? Des fois on lâche les chiens. Enfin, ici on ne les lâche pas. Mais en payant je m'aperçois qu'après la bombe de cette nuit il me reste trois cent douze francs en tout et pour tout.

— Tu vois, ce n'est pas si terrible. Ils ne t'ont pas bouffé, les gens d'ici. Ils sont pourtant méchants comme ailleurs.

— A cette heure il n'y a que des femmes dans les maisons, je n'ai pas peur des femmes.

Nous rôdons aux alentours du hameau. La forêt de châtaigniers dans laquelle il s'abrite est spacieuse. A travers les feuilles rares le soleil descend et illumine de longues avenues. Nous marchons dans le silence que fait le vent bourdonnant. Mon cœur s'apaise et j'imagine que celui de l'artiste s'apaise aussi. Nous arrivons à la lisière des vergers. C'est un découvert très large qui est devant nous, sur de nouveaux vallons, des vallées inconnues où coule le brouillard léger et bleu sur des montagnes plantées les unes derrière les autres et à travers lesquelles nous nous proposons d'aller circuler.

Nous prenons place devant ce spectacle. Nous mangeons volontiers notre petit casse-croûte. Le pain d'ici est très matériel et me remplit. Après l'alcool d'hier soir, je refais connaissance avec une petite salive salée très agréable. Au-dessous de nous, un homme solitaire râtelle du regain dans un grand champ vide.

Nous regardons passer les nuages. Nous reprenons soigneusement haleine.

L'artiste est adossé au talus. Il gratte la guitare couchée à côté de lui. Il est en train de dire, sans s'en douter, qu'il a un moment de repos. Enfin, il prend l'instrument sur ses genoux et il joue un petit air.

Cela n'a aucun rapport avec ce qu'il m'a joué avant-hier quand je l'ai rencontré. C'est confidentiel et amical. Je pense à l'amitié. Je me fais les plus beaux laïus du monde.

Les bois de hêtres, sous ce qui leur reste de feuilles dorées font luire au soleil leurs branchages blancs. Les bouvreuils s'imaginent que midi c'est l'été. Ils se rengorgent et paradent sur les aubépines, mais l'ombre qui s'est déjà installée pour l'hiver au nord des pentes les inquiète. Ils vont la voir de près, d'un vol rapide, reviennent, s'interrogent, s'essayent à de petits vols d'alouettes comme pour s'assurer de la présence du soleil. Les corbeaux s'organisent en grandes allées et venues. L'herbe des prés, déjà rousse à sa pointe, se feutre et s'aplatit. L'homme qui râtelait son regain et est allé dîner a de la chance d'avoir pu en gratter encore un peu. Je vis en bonne intelligence avec ce qui m'entoure.

Un petit garçon qui doit aller à l'école dans un village, plus bas, traverse le pré et s'intéresse, lui aussi, à la guitare. Il s'arrête et nous regarde. Rapidement, il ne nous voit plus ; il se caresse la joue avec une plume de poule. Il s'enfuit enfin en courant, avec son cartable qui lui tape aux fesses.

En cette saison, la sève des châtaigniers descend et rentre sous terre. Elle suinte de toutes les égratignures que l'été a élargies dans l'écorce. Elle a cette odeur équivoque de pâte à pain, de farine délayée dans de l'eau. Un faucon file en oblique, très bas à travers les arbres, poursuivi par une nuée de mésanges. La chaleur de midi est sur mes pieds et mes genoux comme un édredon. Je laisse pousser ma barbe pour des questions de froid universel. Aimer, vivre ou craindre, c'est une question de mémoire.

Nous restons tout le jour comme des lièvres, l'artiste et moi sur ce flanc de montagne ensoleillé à nous faire du sang rouge. Il joue de la guitare. Je l'écoute. Finalement, nous descendons en promenade jusqu'à un village assez conséquent qui nichait plus bas et pour aujourd'hui c'est tout. Nous allons au bistrot. Il nous loge dans une pièce de débarras. A huit heures je ronfle.

Je trouve à m'embaucher deux kilomètres plus bas au moulin où l'on écrase les noix. Ça tombe à pic. Encore un peu et de la pauvreté j'allais passer dans la misère. Il me faut aussi renouveler le petit barda que j'ai abandonné à l'auberge. Je n'avais pas grand-chose mais ça me manque. Rien ne me dégoûte plus que de me moucher dans les doigts, par exemple. Ce n'est pas une question de bourgeoisie. Il me faut aussi deux chemises. Détails, mais qui comptent. Je passe un dimanche à coudre avec du fil de cordonnier une musette que j'ai coupée dans de la vieille bâche.

Je fais ça sur la terrasse du moulin d'huile. Je suis seul. Les patrons ont fermé et sont partis en auto. Ils étaient pimpés. L'électricien lui aussi s'est mis sur son trente et un et il a pris sa bicyclette. Les deux autres ont fichu le camp à pied.

Je me suis abrité derrière les grosses barriques propres et, assis sur des sacs, je fais mon petit boulot personnel. J'entends marcher derrière moi. Je crois que ce sont les gamins qui viennent demander de la galette de noix écrasée, mais c'est une charmante jeune fille. Je demande ce qu'il y a à son service. Elle est interloquée. Elle regarde les lunettes. Ça ne va pas avec ma musette et mon fil poissé. Ils sont pourtant assez fiers ici de leurs presses électriques. On n'en est pas à une paire de lunettes de plus ou de moins à notre époque.

La jeune fille voudrait voir les patrons.

— Ils sont partis tout de suite après dîner.

— Vous ne savez pas où ils sont allés?

— Ils avaient leur auto. Ils ont pris la route qui descend.

— Alors, c'est qu'ils sont allés à La Posterle.

— C'est possible.

— Vous ne savez pas quand est-ce qu'ils rentrent?

— Je ne saurais pas vous dire au juste. Ils seront sûrement là ce soir. Faut bien qu'ils viennent souper.

— A moins qu'ils soupent chez leur belle-sœur.

— C'est encore possible. De toute façon, ils rentreront.

— Oui mais à la nuit ça ne fera pas mon affaire. J'en ai pour plus d'une heure à me *récamper* chez moi.

— Je ne peux rien vous dire d'autre.

— Je le sais mais je suis bien ennuyée.

— Si c'était quelque chose que je puisse faire?

— Non, c'est pour M. Edmond.

— Alors, je ne peux guère vous servir.

— Non.

— C'est dommage.

— Oui, c'est dommage, parce que, s'il me faut rentrer à la nuit, je n'ai pas encore fini.

— Vous avez peur de rentrer seule?

— Risque pas, au contraire, je cours. Mais il faudra expliquer.

— Vous direz que vous avez attendu.

— Vous croyez, vous?...

— Puisque c'est la vérité.

— Si c'était si facile!...

— Ils ne vous mangeront pas.

— Non, mais, la nuit, vous savez... Je vais voir chez les Chauvin s'il y a quelqu'un.

(C'est la *campagne*, de l'autre côté de la route. Je reprends mon boulot. Elle revient au bout d'un moment.)

— Il n'y a personne non plus.

— C'est dimanche.

— Ils avaient un chien. Qu'est-ce qu'ils en ont fait?

— Ils l'ont toujours. Il est parti chasser.

— Avec le fils?

— Non, seul. Le fils a dû filer avec sa moto. Il m'a semblé l'entendre.

— Vous ne savez pas l'heure?

— Deux heures et demie, trois heures.

— Pas plus?

— Non. Ici dans le vallon, il semble toujours que c'est plus. Mais c'est à peine ça.

— Qu'est-ce que je vais faire?

— Mettez-vous à l'abri, là, avec moi. Attendez un peu. A moins que vous montiez au village. Peut-être qu'en redescendant vous trouverez M. Edmond.

— Ça ne me dit guère. Pour ce qu'on fait là-haut!...

— On danse.

— Merci. Pour se faire critiquer!

— S'il fallait critiquer toutes celles qui dansent!...

— C'est ce qui vous arrive quand on n'est pas chez soi.

— Où c'est, chez vous?

— A Pont-de-l'Étoile.

— On danse aussi?

— Ce n'est pas la même chose.

— De toute façon, ne restez pas debout. C'est fatigant.

— Qu'est-ce que vous voulez que je fasse?

— Asseyez-vous.

— Où?

— Sur les sacs.

— Merci, ils sont gras.

(Je lui arrange un petit endroit avec des sacs propres et un bout de bâche.)

— Il y a longtemps que vous travaillez ici?

— Quinze jours.

— Vous ne savez pas si on a déjà fait les noix des Jourdan?

— On les a passées jeudi.

— Ils ne sont pas venus chercher l'huile?

— Pas encore.

— Vous ne savez pas si c'est M. Edmond qui livrera?

— Je ne sais pas. Il m'a demandé si je savais conduire la camionnette.

— Vous savez?

— Oui.

— De toute façon, quand est-ce que vous croyez que ça se fera?

— La semaine prochaine, je crois.

— Vous ne savez pas le jour?

— Ça non.

— Si c'est vous, vous ne pourriez pas me rendre un petit service?

— Volontiers.

— En allant chez les Jourdan, dépassé Pont-de-l'Étoile, tout de suite après la croix, il y a un bois de chênes et un chemin sur votre gauche. Vous ne voudriez pas vous arrêter et donner trois coups de klaxon?

— C'est facile.

— Si c'était le matin, ça serait bien.

— Je ne peux pas vous dire si ce sera le matin ou le soir. Et après, qu'est-ce que je fais?

— Vous ne pourriez pas m'attendre une minute?

— Avec plaisir, même dix.

— Si je savais le jour, c'est moi qui vous attendrais

mais je ne peux pas rester là toute la journée toute la semaine.

— Les passants ne s'en plaindraient pas.

— Il ne passe personne.

— Si ce n'est pas moi, vous voulez que j'en parle à M. Edmond?

— Vous pourriez, peut-être.

— Comme vous voudrez.

— Si, vous pouvez. Mais pas devant Mme Edmond.

— Qu'est-ce que je lui dis?

— Ce que je vous ai dit. Il klaxonne et il m'attend. S'il vous plaît.

— Il saura de la part de qui?

— En lui disant le chemin à gauche après la croix, oui.

— D'accord.

— Si c'est vous, est-ce qu'il n'y aura pas d'inconvénients?

— Pour quoi faire?

— Il faudrait que vous me meniez jusqu'à la grand-route.

— C'est loin.

— Jusqu'à la grand-route et faire encore trois kilomètres dessus pour que je sois à la station qui est dans les bois de Châteauneuf où s'arrête le car. Ça fait à peu près quinze kilomètres.

— Ce n'est pas la mer à boire, mais, à quelle heure il passe votre car?

— Il y en a quatre dans ma direction : deux le matin et deux le soir. C'est la grand-route. Le dernier est à six heures.

— Je vous demande ça précisément parce qu'admettez que je passe tard, est-ce qu'on aura le temps d'arriver? Ou bien il faudrait que j'arrange ma tournée pour être à votre chemin d'assez bonne heure. Qu'est-ce que vous feriez dans les bois de Châteauneuf si le car était passé? Vous auriez toujours la ressource de retourner avec moi, c'est vrai!

— Ne parlons pas de malheur!

— Vous n'êtes guère gentille.

— Pourquoi?

— Si vous trouvez que de retourner avec moi c'est un malheur!

— Pas de retourner avec vous. De retourner.

— Comptez sur moi.

— Vous êtes bien aimable.

— Qu'est-ce qu'on ne ferait pas pour être agréable à une jolie fille?

— Oh! Jolie!

— On ne vous l'a jamais dit?

— Si.

— Alors?

— A quoi ça avance?

— Quand même! ça fait plaisir, non?

— Ça ne fait pas de peine. Ce n'est pas ce que je veux dire.

— Il vaut mieux être jolie que laide.

— Les hommes sont tous les mêmes.

— Ne croyez pas ça.

— Pourquoi? Parce que, vous aussi, vous êtes plus fort que les autres?

— Il faut bien qu'il y en ait.

— Pour quoi faire?

— Pour que la terre tourne. Elle n'a pas besoin de ça, mais admettez qu'il n'y ait pas d'hommes. Vous seriez fraîche! Qu'est-ce que vous feriez?

— Admettez, oui. Mais à quoi ça sert d'admettre? On est bien obligé de se débrouiller avec ce qu'on a.

— Vous êtes d'ici?

— Non, je suis de Pont-de-l'Étoile. C'est vrai qu'ici ou Pont-de-l'Étoile, ça ne fait pas une grosse différence.

— Je disais ça parce que vous avez l'air de savoir beaucoup de choses.

— Je sais ce qui bout dans ma marmite, un point c'est tout.

— Vous croyez que les autres en savent plus?

— Peut-être. C'est possible.

— C'est possible. En tout cas, moi, je n'en sais pas plus.

— Vous n'êtes pas d'ici?

— Qu'est-ce qui vous le fait dire?

— Je ne vous avais jamais vu.

— J'étais peut-être caché.

— Ne dites pas de blague.

— Qu'est-ce qu'il y aurait d'extraordinaire?

— C'est fini le temps du maquis.

— Si j'en faisais un tout seul?

— Venez donc chercher les cochons, tiens : on vous recevra.

— J'étais peut-être en réserve dans les taillis pour que vous ayez quelqu'un sous la main à moment donné.

— Il y aurait toujours eu M. Edmond.

— Il est peut-être dit qu'il le ferait moins bien que moi.

— Flattez-vous.

— Sans me flatter.

— Peut-être qu'en effet j'aime mieux. Si vous ne devez rien dire par la suite.

Elle me demande l'heure et, à mon avis, il n'est alors pas loin de quatre heures. Elle me fait promettre de penser à klaxonner trois fois. Je le jure croix de bois, croix de fer. Si je vois que c'est M. Edmond qui va livrer, je dois le prévenir en douce. Je le jure aussi. Je sais que ce sera moi. Je lui dis : « Peut-être jeudi. » Elle sera sur ses gardes à partir de demain. Elle part. Elle a des talons hauts qui doivent être mal commodes dans les prés et qui font bien du bruit quand elle traverse la terrasse ; puis sur la route.

Dès que j'ai fini de coudre ma musette je plie bagage et je remonte au village. Quand j'y arrive il fait nuit, parce que j'ai flâné le long de la route. J'ai un peu fouillé au pied des haies à la recherche de champignons de souche, mais les nuits sont désormais trop froides. J'ai même trouvé dans un ubac un peu de givre sur la mousse.

L'artiste est bien sage dans un coin du bistrot. Il dédaigne de sortir sa guitare parce qu'on a dansé à la viole électrique. Près de lui, il y a quatre ou cinq tables de belote, mais il est rassasié de cartes. Il regarde les joueurs avec mépris. De temps en temps il y a dans ses yeux un petit truc assez inquiétant. J'ai vu ça dans l'œil des bêtes de cirque quand on passe devant les cages. Je me dis que, quand le diable y serait, ce type-là me fera toujours un drôle d'effet. J'ai l'impression de le prendre constamment sur le fait.

Je lui dis qu'il fait frisquet. Je m'assois près de lui sur la banquette et la chaleur me détend. Il me demande ce que je paye. Un anis. Qu'est-ce que j'ai fabriqué tout l'après-midi? Ce machin-là.

— Tu aimes être seul, toi?

— J'aime être seul et j'aime la compagnie.

Il s'amuse avec son jeu de cartes. Pour s'entretenir la main, dit-il. Chaque fois j'en bave. C'est de nouveau sous mes yeux la danse des cœurs, des carreaux, des piques et des trèfles. Il rate certains coups mais jamais il ne s'énerve; il est sûr d'y arriver et finalement il y arrive. On ne peut pas dire qu'il ne sait pas dans quoi il s'engage : il le sait. Je réfléchis qu'avec un type comme l'artiste, il n'y a pas de circonstances atténuantes.

Au bout d'un moment, cette habileté me tape un peu sur les nerfs et je vais voir la patronne dans la cuisine. J'adore être dans les cuisines. J'aime tellement les maisons que c'est là, au cœur même, que je suis le mieux. Rien ne vaut pour moi un petit air de feu si je le prends debout près d'un poêle de cuisine, pendant qu'une grosse femme fricote.

Elle me demande ce que j'ai fait après-midi. Je suis allé au moulin.

— Vous n'y êtes pas assez toute la semaine?

— L'habitude.

Nous sommes, elle et moi, des gens de même race.

Je suis tout à fait du bord de ces hommes qui jouent à la belote. Quand je suis là, la patronne me pose toujours quelques questions parce qu'on n'en sait jamais assez. Est-ce que je connais bien le type avec qui je suis? Je mens ; je dis oui. Au fond, est-ce que je mens tant que ça? Je n'ai peut-être pas beaucoup non plus de circonstances atténuantes. Ni la patronne ni les joueurs de belote. Et tout va bien. Le poêle ronfle. C'est un bon poêle de dimanche soir.

Dès le matin, je sens que le temps se gâte. Il a cessé de rire. Il commence à passer à un autre genre d'exercice. Reste encore un peu d'automne à la pointe des peupliers mais on peut lui dire adieu. Alors, mon vieux copain, on se quitte? Tu as été bien gentil jusqu'à présent.

La vie s'éloigne dans les vents.

Même, un soir, je suis obligé de coucher au moulin. Il y a une bourrasque à ne pas mettre un chien dehors. Mes collègues essayent de sortir mais ils retournent. M. Edmond nous fait monter à la soupe et, vers les huit, neuf heures, après avoir mis de nouveau le nez à la porte on trouve beaucoup plus naturel de rester là plutôt que d'aller choper le mal de la mort. On dort en bas sur des sacs dans la bonne chaleur des *enfers* d'huile.

Il ne reste pas beaucoup de cette neige-là mais c'est le gel et, dans le ciel, la soupe de pois. On sent que, pour un oui, pour un non, nous allons en prendre un bon coup.

— Il va peut-être tout juste nous ficher la paix le temps qu'il faut, dit M. Edmond. Saute vite chez les

Jourdan. Ça pourrait être bloqué chez eux d'un moment à l'autre.

Il me prête sa canadienne et je m'embarque au volant sur des routes à peine catholiques. Il m'a recommandé d'aller mollo jusqu'au fond de la vallée, mais j'y vais encore plus mollo que ça : les virages au nord sont comme des patinoires.

En bas c'est mieux, il n'y a cependant pas de quoi crier au voleur. Je remonte le torrent jusqu'à Pont-de-l'Étoile. On me regarde avec curiosité quand on voit que je m'engage vers les derniers hameaux. Ils pensent que je suis culotté et, après un regard autour de moi, je le pense aussi. Si j'avais su dans quoi je m'embarquais j'aurais réfléchi deux fois.

Évidemment, cette sorte de lumière aujourd'hui, si on peut appeler ça la lumière, ne flatte pas beaucoup le pays mais, même flatté, il doit être plutôt moche. C'est vers le haut de la vallée, presque au bout. Il y a à peine la place au torrent et à la route qui le longe. Sur ma gauche, je ne vois que des champs de *laves* grises des pierriers, des plantations forestières rabougries qui essayent de retenir une terre sans couleur, sans herbe, remplie de couteaux de schistes. La route n'est que cassis au fond desquels l'eau ruisselle et où il faut chaque fois que je m'engage à l'aveuglette. Si par malheur le temps de l'autre soir m'attrapait dans un endroit pareil, je ne sais pas comment je ferais pour en sortir.

Je vois la croix dont la fille m'a parlé. Ça la fout plutôt mal dans ce bled. Et immédiatement après je repère le bois de chênes et le chemin sur ma gauche. Je klaxonne trois fois et j'attends.

J'ai l'air d'un prestidigitateur qui rate son coup. Je claque des doigts et il ne sort rien du chapeau. Qu'est-ce que vous voulez qui sorte ? De droite, de gauche, devant, derrière, c'est le désastre ! Les seules personnes raisonnables de tout ce truc, ce sont les chênes que j'ai bien le temps de regarder. Costauds et résolus, et ils se foutent de nos petites histoires comme de l'an quarante.

J'attends comme ça plutôt plus que pas assez et je démarre en direction des Jourdan. Je sonnerai encore un peu de ma trompe en retournant par acquit de conscience mais j'ai l'impression que la petite fille a fait son compte. Tout au moins pour la saison.

Les Jourdan sont tellement contents d'avoir leur huile in extremis qu'ils se mettent au boulot dès que j'arrive : femme, enfants, vieillards. Le temps de descendre et de claquer la portière, ils ont déchargé les estagnons et ils les portent triomphalement à leurs jarres. Du temps qu'ils traversent, on me fait boire un coup. C'est une drôle de baraque. Il y fait noir comme dans un four. Tout l'éclairage vient de la gueule rouge du fourneau. Quand les yeux se sont habitués, on voit un peu de quoi il s'agit. Tout : êtres et choses sont en noir et rouge, un point c'est tout. J'ai vu plus folichon. Je les admire de pouvoir résister royalement à ce coloriage indiscret.

Je me dépêche de quitter ces lieux enchanteurs. Il y a comme ils disent du mauvais en l'air. Du côté de la montagne, des blocs de brume ou de nuages descendent en galopant.

Arrivé aux chênes je m'arrête et je couine de nouveau trois fois. Et encore, trois fois pour en avoir le cœur net et tranquilliser ma conscience. Mais il n'y a toujours pas de lapin dans le chapeau. Je rentre.

Tout ça ne me surprend guère. Il faut autant d'estomac pour quitter ce pays par un temps pareil que pour y rester. Et si l'aimable jeune fille qui m'a fait la conversation dimanche habite une turne comme celle des Jourdan, elle a dû se faire une raison et consentir à être encore peinturlurée de rouge et de noir pendant toute une saison.

Nous ici, nous ne sommes guère à la noce non plus. Chaque matin en descendant au moulin j'entends le grésil qui siffle dans la ramure des hêtres. Je fais mes choux gras d'un vieux tricot que m'a donné Mme Edmond et d'un imperméable de l'armée américaine que j'ai acheté six cent cinquante francs à Chopart Alphonse, le facteur. Il l'a eu lui-même d'occasion. C'est un truc extrêmement commode.

J'ai conseillé à l'artiste de s'en acheter un. Il veut mieux. Il paraît qu'il existe des manteaux de la marine anglaise qui sont formidables. Mais ça va chercher dans les milliers de francs. Ce qui les rend un peu verts pour moi. Encore faut-il en trouver dans les foires. L'artiste prétend qu'il connaît le système pour s'en procurer. Je lui dis qu'étant donné ma bourse, je ne suis pas pressé. Mon machin américain fait parfaitement l'affaire. L'artiste dit que je me contente de peu. Je lui demande s'il connaît le moyen de faire autrement. Il me répond que oui.

— Avec ta gueule, je ferais de l'or, dit-il.

— Qu'est-ce qu'elle a ma gueule?

D'après lui, c'est celle d'un bon bougre. Et après? Il est vrai que j'ai maintenant mes trois bons travers de doigt de barbe blonde, frisée comme de l'endive.

— Tu inspires confiance. Tu pourrais être le plus beau salaud de la terre, on voit tes yeux et on tombe dans les pommes.

Je suis assez content de cette façon de voir les choses.

— Mais je ne suis pas le plus beau salaud de la terre.

— Précisément, dit-il. Je me demande alors à quoi ça sert. Puisque tu veux un manteau de la marine anglaise.

Je lui dis que je me fous de la marine anglaise. Il me répond que croquant je suis et croquant je reste et il me montre un nouveau tour de cartes qu'il a appris à la veillée. Ça alors, c'est tout à fait marrant et je défie quiconque d'y voir autre chose que du bleu. On mélange les cartes, on les triture, on les boulange, on y perd son temps à les intercaler et les intervertir. Il prend le paquet dans ses mains...

— Pour donner il faut bien que je les prenne.

— D'accord.

Il prend le paquet dans ses mains. Il distribue. Il me dit exactement les cartes qu'il m'a données. Si c'est moi qui donne, il me dit exactement les cartes que je me suis données. Je lui demande comment il fait. Il me répond que j'ai une trop petite tête. Il me fait mettre les as au fond. Il coupe. Je donne. Il a les quatre as. Je les fourre séparément dans le jeu. Il coupe. Je donne. Il a encore les quatre as. Je les planque au hasard, sans qu'il regarde. Je coupe. Il donne. Il a encore les quatre as. Je crois que si je les mettais dans ma poche, après la coupe et la donne de n'importe qui, il les aurait encore dans son jeu. Même chose pareille pour roi, dame, valet. Même chose pareille pour me refiler des broutilles et me composer des jeux impossibles, mais toujours probables (voilà surtout ce qui m'épate). Je vous dis : « Qui y verra autre chose que du bleu ?»

— Tu vois, dit-il, je ne perds pas mon temps, moi.

A part ça, il n'en fiche pas une rame, et maintenant qu'il fait noir, c'est à peine s'il sort du pieu à midi, paraît-il. Car, à midi, moi je mange en bas. Je me demande s'il croit que ses sous dureront tout l'hiver. Il est vrai que je suis là pour un coup et que je ne le laisserai pas tomber. Pour tout dire, j'attends ça.

— Qu'est-ce que tu peux foutre au pieu jusqu'à midi ?

— Je tire des plans sur la comète.

Un soir à six heures je quitte le moulin, je m'apprête à remonter et, auparavant, il me faut trouver la route gelée sous mes pieds dans un noir d'encre. Il fait une bise qui vous défigure. Je m'entends appeler : « Monsieur ! » C'est la fille.

Je lui dis : « Bougre, qu'est-ce que vous fichez là, il y a de quoi crever ? »

Elle me dit : « Venez ici, c'est à l'abri. »

Elle me tire par le bras jusque contre la porte de l'écurie des Chauvin. Je sens qu'il y a un entrebail et nous entrons dans l'étable où il fait chaud.

— Mais dites donc, vous, il me semble que cette fois c'est la nuit noire. Comment est-ce que vous allez faire pour rentrer?

Je pense à cette croix toute mal foutue qui jette un froid, si on peut dire, dans les pierrailles à cent mètres du bois de chênes.

— J'ai une combine avec Ernest, le fils Chauvin ; il me ramènera avec sa moto. Et je suis censément être chez ma cousine. J'ai le temps jusqu'à huit heures.

Je lui dis que jeudi j'ai trompeté tant que j'ai pu à l'aller et au retour. Elle me remercie. Elle m'a entendu mais ce jour-là il n'y avait rien à faire. Elle prétend même que ça a été terrible. Je comprends ça. Mais, elle m'assure que je ne peux pas comprendre, que si je comprenais, si je savais tout, je verrais qu'elle n'exagère pas.

Je lui dis que, comme elle m'a fait promettre le secret, il vaut bien mieux que je ne sache pas tout.

Est-ce que je ne peux pas m'arranger pour aller la prendre demain?

— Ça, ma belle enfant, c'est beaucoup plus difficile. Qu'est-ce que je peux dire à M. Edmond pour prendre la camionnette? Il n'y a plus rien à livrer aux Jourdan. A moins que je dise à M. Edmond que c'est pour vous? Puisque vous vouliez le voir dimanche!

Elle me dit que, pour l'amour de Dieu, il ne faut surtout pas en parler à M. Edmond, que, jusqu'à présent elle avait cru mais que, maintenant, elle est sûre du contraire. Surtout, pas un mot aux Edmond, mari et femme.

— C'est qu'alors, j'ai l'impression que nous sommes mal partis.

Comment puis-je faire? Puisqu'elle est bien avec le fils Chauvin et qu'il la ramène ce soir à sa fameuse croix, est-ce qu'il ne pourrait pas aller la chercher demain et faire la course? Ou même la faire ce soir, ça ne serait pas plus long.

Elle me répond non, et puis il y a un silence. J'entends couiner des souris et brusquement je comprends que c'est elle qui pleure. Ça m'est extrêmement désagréable.

Je lui dis que je ferai mon possible, et je suis sincère. Je trouverai sûrement un truc. Je vais y réfléchir. Enfin, je la remonte, je lui dis qu'elle soit patiente, qu'elle m'attende, que je viendrai sûrement, qu'elle ne s'en fasse pas. A moins que nous soyons tous morts ou qu'il y ait un tremblement de terre. Enfin, ce qu'il faut dire aux femmes.

Il n'y a plus de souris dans l'étable. Elle me remercie. Je sens qu'elle s'approche de moi. Je lui touche l'épaule et je lui dis : « Ne vous mettez pas dans des états pareils. »

En remontant au village, je ne sens pas la bise tellement je réfléchis à ce truc que j'ai promis. Mais je ne trouve rien. Rien non plus tout le lendemain matin. Ce n'est que l'après-midi et pas de bonne heure que j'ai une idée.

Je dis à M. Edmond que je crois bien que j'ai laissé un estagnon de cinquante litres chez les Jourdan. Il me répond que ça l'étonne étant donné qu'il a vérifié lui-même au retour (il y tient comme à la prunelle de ses yeux). Je lui dis : « Cependant, venez voir. » En effet, il en manque un (celui que j'ai déjà planqué dans la camionnette, sous des sacs). Ça alors, ça l'ennuie bougrement. Ça tombe à pic, par hasard le temps n'est ni l'un ni l'autre...

— Fais-y un saut, dit-il.

Tu parles!

Je fais même un peu l'andouille en descendant et il faut que je dérape vachement pour me mettre un peu de plomb dans la tête. C'est toujours verglas et compagnie. Je me dis qu'il est un peu ridicule d'être aussi impatient à mon âge. C'est bien beau d'essayer de ne pas décevoir cette petite fille mais il faut que quelqu'un commence. Si personne n'a commencé!

J'arrive à la croix à la tombée de la nuit. Cet objet n'est toujours pas très réjouissant. Aux chênes, je tourne la voiture et je trompette trois fois. Je me cale pour attendre mais tout de suite, ou presque, je vois sortir ma voyageuse.

Elle est sur son trente et un. Elle a même une veste de lapin qui m'épate. Et naturellement ses talons hauts. Elle charrie un carton à vêtements qui en pète, malgré les ficelles.

— Vous voyez que ça a marché.

C'est tout juste si elle répond. Et je comprends qu'il faut filer en vitesse. Ce que je fais.

Elle s'est fourré de la bague, du bracelet et du collier en cuivre, en veux-tu en voilà. Pour être sous les armes, elle l'est.

Nous traversons Pont-de-l'Étoile un peu lentement

à cause d'un camion de bois qui nous serre dans la rue et il me faut manœuvrer en marche arrière sur une placette. Enfin, on repart et la route s'améliore au point de vue verglas. Je fais du soixante et je sens que c'est le meilleur remède que je pouvais lui donner.

Au bout d'un moment, je suis cependant obligé de ralentir. Je n'imaginais pas que la route puisse descendre autant que ça. Elle est large et bien engravée mais j'ai encore les dérapages de tout à l'heure dans les fesses. Je m'aperçois que les quinze kilomètres dont elle parlait en feront bien vingt en fin de compte. Et je ne me trompe guère. Quand j'aperçois la signalisation de la grand-route c'est vingt-deux. Et il fait nuit.

J'allume les phares. Au croisement je demande : « De quel côté ? » Elle me dit : « A gauche. » Nous n'avons pas soufflé mot de tout le temps. Est-ce qu'elle a l'heure ? Non ; moi non plus. C'est au petit bonheur.

Nous retrouvons l'automne en retraite. Il campe le long de la grand-route, dans des peupliers, des saules, des trembles et des vergers. Sous mes phares, le pays est féerique. C'est à un point qu'on peut tout croire. Il peut nous arriver n'importe quoi. A chaque virage, j'illumine des décors sensationnels.

La halte de Châteauneuf est dans les bois, adossée à un long mur, à côté d'une grille de parc. C'est seulement un auvent en ciment armé. Quelle heure est-il ? Est-ce que le car est passé ou non ? C'est un cas de conscience. Je n'ose pas débarquer ma voyageuse. Elle va se geler. D'abord. Ensuite, le pays n'a un peu de consistance que parce que je l'éclaire. Si je disparais avec mes phares, ce sera quoi? J'éteins pour voir. La fin de tout. Et encore, nous avons le bruit du moteur pour nous rappeler à la vie. Mais imaginez ça avec le bruit du vent dans les arbres. Je rallume.

Comme je le fais, j'éclaire une personne qui vient vers nous. Je dis une personne car elle a des pantalons, mais en effet c'est une femme. Je dis : « Voilà quelqu'un qui vient attendre. Votre truc n'est pas encore passé. »

Je baisse ma vitre et je demande l'heure. Six heures moins cinq. Est-ce que le car est passé? Non. Et d'ailleurs, le voilà. Il corne à toute pompe. Il est illuminé comme un bateau.

Ma demoiselle file comme une lettre à la poste. Je continuais à tenir la portière pour la femme aux pantalons mais elle ne monte pas. Et même elle n'est plus là. Elle a pris la tangente.

Le car parti, je reste une seconde comme un cierge. Je ne sais pas le nom de cette jeune fille. Ni le prénom. Je suis un drôle de zèbre. Admettons que je lui aie fait rater son car. Volontairement. Ça pouvait être une occasion. Il aurait fallu que ce soit l'été, aussi. Mais l'été il fait jour à six heures.

La grille du parc s'ouvre. Un type sort. Il m'offre une cigarette. Il me demande si je n'ai pas vu une femme. Je dis oui, il y a cinq minutes. En pantalon. Est-ce qu'elle a pris le car? Non.

Je tourne bride et, dans mon virage, mes phares illuminent au-delà de la grille une allée du tonnerre de Dieu où le type est en train de rentrer.

J'en mets un coup. J'arrive au moulin dans les délais ;

à peu près. Les Edmond sont à table. Je passe la tête à la porte et je dis : « J'ai l'estagnon.

— Merci. Tu veux boire un coup ? » Je le bois. Et je rentre. Moi aussi.

Je suis bien content d'être à ce moulin. La température n'est vraiment pas à la balade. Tous les matins, quand je descends, je trouve que c'est une affaire. Les Edmond sont corrects. Mon boulot consiste maintenant à faire le maître Jacques. Je bricole à droite et à gauche. J'entretiens la chaleur. Je jette des coups d'œil. Je récure le matériel. Je roule des cigarettes. Je suis au chaud et la semaine tombe.

Un matin en arrivant, je trouve M. Edmond en train de parler avec un type maigre. Celui-là me fait mauvaise impression.

— Quand tu es allé chercher l'estagnon, l'autre soir, dit M. Edmond, est-ce que tu n'aurais pas chargé une jeune fille au retour ?

— Si.

— Où est-ce que tu l'as menée ? dit le maigre.

— A Pont-de-l'Étoile.

Ils me demandent des tas de renseignements. J'en esquive et, pour d'autres je bafouille. Je pense qu'il ne doit pas être agréable d'avoir tout le temps sous les yeux la gueule du type maigre. Elle n'engendre pas la mélancolie : c'est un peu plus costaud ce qu'elle engendre. Ce type-là se met à me tourner et retourner de tous les côtés. A l'entendre, je n'ai même plus le droit d'acheter un paquet de tabac. Je l'envoie au bain.

Le lendemain il est encore là ; sans M. Edmond qui

est sorti cette fois. Je prévois des emmerdements. Ça ne rate pas.

— Tu n'es pas allé chez les Jourdan, dit-il. Tu es venu klaxonner dans le bois de chênes. Je t'ai entendu. On t'a vu à Pont-de-l'Étoile, tu as manœuvré en face le café des Sports. Et on t'a vu après Pont-de-l'Étoile.

Cette dernière chose, il l'invente. Nous n'avons rencontré personne. Il me tape tellement sur le système que je lui réponds :

— Et après, qu'est-ce que ça peut vous foutre?

— Tu sais qu'elle est mineure?

— Qu'est-ce que vous voulez que ça me fasse?

— La loi le fera voir.

— La loi? Qu'est-ce qu'elle a à faire la loi, là-dedans? Vous croyez qu'on demande l'âge à ceux qui vous arrêtent sur la route? Vous l'auriez laissée, vous?

— Elle ne t'a pas arrêté sur la route. Tu l'as appelée. Et même, ce n'est pas la première fois.

— Vous voulez que je vous dise une bonne chose? Mêlez-vous de ce qui vous regarde et foutez-moi la paix.

— Ça me regarde.

— Eh bien! si ça vous regarde, contemplez-le, ça fera la paire.

Je trouve même que jusqu'à présent j'ai été trop poli. J'ajoute : « Et, ne me casse plus les burettes! »

Ça n'a pas l'air de l'impressionner. Il tourne les talons et il s'en va.

Je crois que j'ai fait l'andouille. Il n'y avait aucune raison pour le prendre de cette façon-là. Au ton que j'ai eu il semblerait que j'ai fait pis que pendre.

Quand M. Edmond rentre, je le mets au courant. Ça n'a pas l'air de lui plaire beaucoup. Il me dit : « Tu avais bien besoin de te mêler d'une chose pareille! »

Je lui raconte la conversation que j'ai eue avec la jeune fille l'autre dimanche et qu'elle était venue soi-disant pour le voir, lui. Ça a l'air de l'épater, mais pas trop. Il prétend que, s'il avait été là, il l'aurait expédiée avec perte et fracas. J'insinue que, au fond, si j'ai marché, c'est que j'avais l'impression de bien faire. Il ne dit pas que j'ai mal fait. Il dit que ça n'est pas rose, un point c'est tout. Je m'en rends compte ; à son air.

Je dis : « Qui c'est, ce type-là, son père?

— C'est son beau-père : le mari de sa mère.

— Alors, qu'est-ce qu'il a à la ramener comme un zouave?

— Ça m'étonnerait qu'il l'ait ramenée tant que ça, dit M. Edmond. Son genre ce serait plutôt autre chose. »

Le patron a vraiment l'air d'avoir avalé une arête de poisson.

— Ça serait quoi, son genre?

— La douceur ; mais tu es loin de te figurer jusqu'où ça peut aller.

J'ai tort de vouloir rigoler. Je dis :

— La douceur, moi, ça me chatouille.

M. Edmond ne répond pas. Il regarde droit devant lui. Il a l'air de voir des quantités de choses qui n'ont qu'un vague rapport avec des chatouilles. J'ai tort d'insister, mais quoi faire de ses pieds dans un cas pareil? Il vaut mieux les mettre dans le plat.

— Si ce n'est pas son paternel, il n'a pas de raison de s'en faire.

— A moins qu'il en ait de meilleures, dit M. Edmond et son arête de requin.

Ça laisse place à toutes les suppositions. Je pense à la croix qui est toute seule là-bas, avec mission de réjouir les torrents et les éboulis de schistes.

— J'ai l'impression d'avoir marché dans quelque chose qui sent mauvais.

— Tu peux le dire.

Je suis assez content le lendemain et le surlendemain de ne plus voir mon bonhomme. Je n'ai aucune envie de le voir arriver, même avec une bonbonnière. Le soir, quand je rentre, l'artiste a un drôle d'air. Il jubile. Je me rassure. Il me dit :

— Tu es un sacré cachottier.

Je ne suis pas à la page. Je demande sincèrement de quoi ?

— Tu as des affaires de femme.

Même alors je ne comprends pas et je le dis. Il me répond :

— Tu vaux dix. Tu vaux même ton pesant de pommes de terre frites. Le jour où tu voudras t'associer avec moi, je suis prêt à casquer. Si tu te voyais, même toi, tu te donnerais le bon Dieu sans confession.

Il est trop malin pour manquer de voir que je ne fais pas la bête, mais que je le suis. Il met les points sur les I.

Le bruit court que j'ai enlevé la fille. J'en rigole sur le moment. A la réflexion, j'en ris jaune. Je vais prendre mon air de feu au fourneau. La patronne, ce soir, n'est pas entrante. Je dis :

— Vous devriez quand même avoir un peu plus de bon sens, vous!

Elle va tout de suite au but, me répond que la fille est une traînée. Si c'est dans mes goûts d'essuyer le plâtre des autres... En tout cas, pour l'instant, que je me pousse un peu, elle a besoin de son poêle.

Si on veut m'enlever mon bien-être, alors, ça change toute la question. Je prenais ça à la rigolade et il n'y a pas de quoi fouetter un chat encore bien moins. Tout le monde, à ma place, aurait fait pareil. Elle me répond de façon équivoque. Je lui raconte toute l'histoire telle que. Elle me répond :

— Et dans l'étable des Chauvin, vous chantiez la messe?

Ça, je sais quelle est la petite vache qui a mouchardé.

Je le guette un matin et, au moment où le fils Chauvin va enfourcher sa moto, je l'arrête.

— Dis donc, je lui dis, qu'est-ce que tu es allé raconter de la fille et de moi dans ton étable? Qu'est-ce que ça signifie?

— Ça ne signifie rien. Tu y étais, oui ou non?

— J'y étais. Et après?

Lui casser la gueule n'arrangerait pas la sauce. Au contraire. Il ajoute :

— Elle est venue me dire qu'elle voulait te voir et que je laisse la porte ouverte. Je l'ai fait, oui? Alors, qu'est-ce que tu as à te plaindre? Si c'est comme ça que tu dis merci!...

Je le laisse filer. J'ai encore fait l'andouille. Il ne va pas se faire faute de crâner. Je commence tout et je ne finis rien. Ce truc-là me dégoûte.

Le patron a renvoyé mes deux collègues. C'était normal. On s'y attendait. La campagne de l'huile est terminée. L'électricien ne vient plus qu'une fois par semaine passer l'inspection aux machines. On se demandait qui il garderait pour l'entretien général. C'est moi. Il m'a pris dans un coin. Il m'a passé la brosse. Nous nous sommes mis d'accord sur un salaire d'hiver ; un peu diminué naturellement puisqu'il n'y a plus de travail de force.

Au fond je n'ai rien à faire qu'à rester là. Je me balade dans le local. Je fais la revue des impedimenta. Je répare et je bricole. J'astique et je graisse, je rapetasse les couffins et les sacs. Je mets de l'ordre. Ça me va bien.

Ça me va moins mal qu'on ne pourrait le croire. Ce vaste moulin s'est adapté à mes entournures. Nous avons fait un mariage de raison et nous passons une lune de miel extraordinaire.

Naturellement la neige a fini par tomber une bonne fois pour toutes. J'entretiens du feu dans trois grands poêles pour que tout ce matériel et les bacs d'huile soient chouchoutés comme il se doit. Le gel, ici dedans, ferait des ravages de tigre. Mais, avec moi, il peut courir. Les carreaux des fenêtres sont propres. Si un flocon se pose sur eux, il est foutu : c'est chaud, humain. Au début, les oiseaux venaient se frotter contre les vitres comme contre une joue. J'en ai fait entrer quelques-uns : ceux qui étaient les moins froussards et ne foutaient pas le camp quand j'ouvrais la fenêtre. Ils sont toujours par là, dans les solives. Je leur donne du grain ou de la mie de pain.

Mais, je ne suis pas très apprivoiseur. Ce n'est pas à moi qu'on verra des oiseaux sur l'épaule ou dans la barbe. (En parlant de barbe, la mienne est devenue tout ce qu'il y a de bien. Il faut même que, de temps en temps, je la taille au ciseau.) Je ne suis pas de ceux qu'on admire parce qu'ils sont les maîtres des animaux. Ou qui paraissent l'être. Pour apprivoiser quoi que ce soit, il faut être trop longtemps son domestique. Et pour monter un petit numéro d'amour-amour, avec becquetage des lèvres et tout le saint-frusquin, il faut trop avoir été soumis, gentil, et tout et tout... Je suis d'ailleurs comme ça avec les chats et les chiens. Je ne leur fais pas d'avances. Aux gens non plus. Enfin, c'est rare.

Bien entendu, je couche au moulin. Il faut que j'entretienne les feux la nuit. L'artiste est venu me voir deux ou trois fois au début. Depuis quelque temps il s'est calfeutré. Il est vrai qu'il fait un temps de cochon. Je suis allé le voir, moi, l'autre jour. Une escapade de deux heures, profitant de ce que les Edmond étaient absents pour l'après-midi. J'ai failli me casser la gueule au retour : une patinoire en pente raide n'a jamais fait plaisir à personne. Faudrait avoir du vice.

Je me suis fait une petite cagna de toute beauté entre deux piles de sacs, juste en face le gros poêle du milieu. M. Edmond m'a donné un lit-cage et, autour, j'ai organisé une alcôve pépère. L'électricien m'y a amené un bout de fil, j'ai suspendu la baladeuse à un crochet et j'ai la lumière à la tête du lit. Un prince!

Il n'y a que question de lecture où je suis un peu à la traîne. C'est vraiment l'endroit où j'aurais aimé avoir un livre ou deux. J'ai demandé à Mme Edmond (On dirait d'ailleurs qu'elle me fait un peu la tête). Je n'ai eu que des saloperies : Des « vierge et mère, des orphelines, des légionnaires ». Ça alors, ça me fout le cafard!

J'aime mieux fumer la pipe. Je me suis acheté un jacob et je le culotte, dans un endroit *ad hoc.* Il faut se méfier de deux choses : le gel et le feu. Il ne faut pas qu'il gèle mais il ne faut pas foutre le feu à la baraque. Voilà mon rôle, somme toute. Donc, je ne peux pas me permettre de fumer ma bouffarde sur des sacs qui ne demanderaient pas mieux que de recueillir la moindre braise et d'en faire une histoire sensationnelle. Mais, j'ai un endroit de tout repos et au poil.

Du côté où ça monte dans les appartements particuliers du patron, il y a l'amorce de l'escalier coupée quatre marches plus haut par la porte. C'est là que je me colle, le dos contre du bon chêne, les fesses sur les coussins de la camionnette qui sont juste à la dimension des marches. Devant mon nez, le premier poêle qu'on peut faire rougir si on veut et, au-delà du poêle, tout mon bazar à perte de vue jusqu'aux fenêtres du fond. C'est là que je noircis peu à peu la figure de mon jacob en surveillant tout sans me déranger, pendant une heure ou deux, notamment après mon repas de midi, écoutant la radio qu'on fait marcher là-haut dans l'appartement jusqu'à ce que le patron gueule : « Oh! là là, Josette, cette radio! Tu peux pas la mettre moins fort? » Alors, c'est une sourdine qui vient, et j'aime beaucoup.

M. Edmond descend de temps en temps voir si tout va bien. Il est tellement gentil avec moi que je me demande à quoi il veut en venir. C'est du vin ou du tabac, ou des paroles aimables sur le culottage de mon jacob. Je suis chaque fois un peu embêté et j'aimerais qu'il m'engueule. Il ne le fait pas.

Un matin, malgré la bise qui coupe comme un rasoir, il sort la voiture. Mme Edmond, emmitouflée jusqu'aux yeux s'installe à côté de lui. Mais au dernier moment il descend et vient me voir. Il me dit :

— Écoute un peu. Ceci est entre nous. Dans le courant de la journée un type viendra prendre cinq cents litres. Surveille-moi ça et qu'il soit content. Il aura ses estagnons à lui. Ne touche pas aux nôtres. Aide-le à remplir. Si toutefois à cause du temps il tardait et qu'il vienne sur le soir — nous, nous rentrerons vers les six heures — si tu vois que vous n'avez pas le temps de finir avant que j'arrive, monte au village et téléphone au 3 à La Posterle. Tu dis : « Dites à M. Edmond qu'il attende. »

— Ça va.

Il marque 3 sur le carreau avec un bout de plâtre. Il peut être tranquille. Mme Edmond s'impatiente et fait marcher le klaxon. De toute façon, il ne m'aurait pas plus dit.

Le type susdit arrive avec un petit camion vers une heure de l'après-midi. Il est frigorifié. Pendant qu'il se chauffe j'essaye de voir s'il y a une marque sur la bagnole ; il n'y en a pas. Nous nous mettons au boulot et ses cinq cents litres sont remplis, chargés et amarrés à quatre heures. Il se débine. A la bonne tienne! Je ne m'en sentais pas pour monter au village et je suis loin d'envier sa place au volant dans les virages de la descente pendant que la nuit tombe. Tout ça me paraît une drôle de combine.

Les Edmond sont là à sept heures moins le quart. Lui vient me voir censément presque tout de suite, le temps de monter là-haut et de descendre ; je lui fais signe que tout est au poil. Il regarde le carreau où il avait marqué le numéro de téléphone. Ça aussi c'est effacé. Il n'insiste pas.

Nous avons trois ou quatre jours de vilain temps. Malgré tout ce qu'il a déjà fait, on dirait que jusqu'à présent il s'est amusé mais que, maintenant, il prend vraiment la chose à cœur. Il ne fait pas de bruit, comme les beaux travailleurs et il en met un sacré coup. La neige tombe serrée jour et nuit. Il me faut faire une tranchée à la pelle pour aller jusqu'à la route.

Dans ma cagna, entre les piles de sacs, je suis comme un coq en pâte. J'ai des moments de grand bonheur qui tiennent essentiellement à la bonne chaleur continue et au fait que je me sens enveloppé dans mes couvertures dans ce bon moulin, dans cette neige épaisse qui a cassé les fils du téléphone et tout bloqué sur des kilomètres carrés. Je vis dans mon jus.

J'étais loin d'imaginer qu'au milieu de ça l'artiste me rendrait visite. C'est cependant ce qui arrive. Je n'en reviens pas. C'est une aubaine. Je fais du café. Il me dit : « Je t'ai porté un paquet de tabac. Aboule tes quatre-vingt-cinq balles. » De toute façon c'est un beau geste. Il y a pensé. Il ne faut pas trop demander.

Il est superbe. Il a une de ces putains de canadienne à me faire baver, des bottes en caoutchouc, des bas de laine épais d'un doigt et des frocs de ski en drap anis.

— Ben mon cochon, ça doit tenir chaud, tout ça!

Il me dit : « Oui, ça tient chaud et c'est épatant. »

Qu'est-ce qu'il a fait? Un héritage ou quoi? Et, où est-ce qu'il est allé se procurer tout ce matériel?

— T'occupe pas, dit-il, regarde et prends de la graine.

N'empêche : c'est un jeunot. Je lui dis : « Ce n'est pas à un vieux singe qu'on apprend à faire la grimace. Tu as pour cinquante mille francs de matériel sur les fesses, ça vient bien de quelque part?

— Cinquante billets? Tu es un peu juste, dit-il : c'est de l'agneau doré napolitain. » Il me fait mal au ventre! De l'agneau doré napolitain! Il a dit ça fier comme Artaban. Il s'imagine qu'il m'épate. J'aime beaucoup mieux quand ses mains sont autour des cartes ou sur la guitare. En parlant de ça, je remarque qu'il a aussi un bracelet-montre. Je lui dis :

— Mon petit gars, ton agneau napolitain ne pousse pas sur les arbres, ni ta montre, ni tes falzars, ni le reste de ton équipement. (J'en reviens toujours à ma première idée). Ça vient d'où? et j'ajoute : « Ça sert à quoi? Je comprends un peu qu'on veuille se fringuer dans un patelin où ça manque. Mais ici! Je n'ai pas d'agneau napolitain et je te garantis que je n'ai pas froid. Si tu y vas de ce train-là tu seras fauché avant la fin de l'hiver. On commence à peine, tu sais ! Si tu es Rothschild, ça c'est une autre affaire. Et encore ! »

Il rigole. Il me laisse dire. Il fume sa cigarette, toujours américaine, naturellement.

— Et ça, tu l'achètes au bureau de tabac ?

— Non, dit-il, au bureau de tabac j'achète le gris pour les nouilles qui s'habillent avec de la toile à sac.

— Admettons ! Mais, si ça me plaît !

— Bon, dit-il. J'étais venu pour te parler affaires mais, si tu te trouves bien dans cette casbah dégueulasse, je ne vois pas pourquoi je m'occuperais de t'en sortir. On ne peut pas dire que tu sois vraiment un type reconnaissant.

Là, il me fait mal. Le plus grave c'est qu'il me fait de la peine. Je ne peux pas arriver à le prendre à la blague, ce type-là. Ce que les autres voient, je le vois : il ne vaut pas tripette, mais je suis obligé de ne pas en tenir compte. J'essaye de lui faire comprendre qu'au bout du fossé, la culbute. Il me répond de m'occuper de mes oignons. Que, s'il avait su, il aurait pu s'économiser deux kilomètres. Qu'il s'en doutait bien. Que c'est par amitié pure qu'il est sorti par un temps pareil. Et parce qu'il n'aime pas me voir vivre comme les marmottes. Que jusqu'à présent, il s'est débrouillé tout seul. Qu'il voit bien que tout ce qu'il a à faire c'est de continuer. Qu'au fond je suis un égoïste.

J'avais bien besoin de ça ! Tout est de nouveau sur le tapis. Je me le représentais là-haut dans son bistrot, tranquille comme Baptiste et tout fonctionnait. Voilà que rien ne tourne plus rond. Je lui dis : « Bon. Alors, n'en parlons plus, accouche ! »

C'est simple comme bonjour : il a trouvé un filon épatant. Il a monté une table de poker là-haut. Qu'est-ce qu'il y a d'extraordinaire ? Rien. Ils jouaient bien à la belote. Jeu pour jeu, il n'y a pas de différence. Moi, personnellement en effet, ça m'est égal. Je ne suis pas membre de l'Armée du Salut. Ce que j'en dis c'est que, généralement, avec des gars habitués à la belote, les montagnes russes du poker, ça peut foutre mal au cœur ; et le mal au cœur, ils le font généralement payer aux autres. Autrement dit, ça finit par des cassages de gueule.

— C'est ce qui te trompe, dit-il, parce que d'abord et d'une j'ai compris qu'il ne fallait pas aller trop fort et je me contente d'un casuel tout ce qu'il y a de régulier et de père de famille ; ensuite, parce que j'ai alors trouvé cette fois des lascars qui sont pleins aux as et qui se foutent d'envoyer en l'air dix billets comme toi ton culot de pipe. En les prenant comme je les prends à la papa, dans un business régulier, tous les soirs, tout l'hiver, c'est une vie de cocagne. Ils sont ravis. C'est eux-mêmes qui en redemandent. Je n'ai jamais vu de types comme ça, mon vieux. C'est la bamboula tous les soirs : boudin, civet, vin bouché. T'as jamais vu ça : impossible. Ils m'invitent chez eux. Et tu crois que leurs femmes font la tête ? Tu peux courir ! C'est la bouche en cœur. Elles y viennent, elles aussi. Plus fortes que les hommes. Tu ne te rends pas compte. Tout ce qu'il y a à gratter autour ! C'est un monde, je te dis. Question galette, fesse et bamboula, si tu veux, on est les rois. Je ne sais pas d'où leur vient le pognon, mais je t'assure qu'ils le voient partir sans regret. Un type me l'avait dit mais c'est la première fois que je vois que l'hiver c'est ça.

« Ah! Et puis, halte! Il n'est jamais question de jouer des haricots. Tu parles de montagnes russes! J'ai le cœur bien accroché, mais quand ils te mettent des chiffres sous le nez, c'est des chiffres. T'en fais pas pour le casse-gueule, c'est tout à fait autre chose qu'ils cherchent. Il y a des types qui ne pouvaient pas suivre ; ils sont rentrés dans leurs coquilles. On est maintenant six à sept, pas plus : des purs. Je mange tous les soirs avec eux, tantôt chez l'un tantôt chez l'autre. Si je manque, on me réclame. »

Je le laisse dire. C'est une belle vie! Il y a des moments où j'en ai marre de vivre à ma façon. J'aimerais que quelqu'un d'autre prenne la barre. Et vogue la galère!

Cette nuit-là, je dors mal d'abord. Puis, finalement je dors bien.

J'aimerais passer quelques jours avec le copain, à manger du lièvre et du cochon. J'ai évidemment tout ce qu'il faut dans mon moulin : chaleur, café et boustifaille. Mais l'hiver est la saison des désirs. J'accumule des envies extraordinaires. Dans cette partie du jour qui va du moment où j'ai bu le café du matin jusqu'à l'heure où la nuit arrive, j'imagine des choses sans queue ni tête. On n'y voit pas beaucoup ici dedans ; sans le reflet de la neige, on n'y verrait même pas du tout. J'arrive à trouver que les presses au repos ont des allures de grandes personnes debout, habillées de fer. Pendant que je me chauffe, dans la lueur rouge du poêle, je vois le bout de mon nez, mes mains, mes genoux, mes jambes et mes pieds. Les grosses poutres entrecroisées du plafond sont comme une carcasse de bœuf. Les coups de bise frappent contre les murs. Le bien-être ne sert qu'à désirer plus ; et dans cette idée il n'y a pas de limite. Je me sens capable d'aller fort dans des quantités de choses. Je pense aux marmottes qui sont roulées en boule dans les profondes fourrures de la terre. Je me demande pourquoi nous autres nous n'arrivons pas à endormir complètement notre sang. Souvent j'hésite à aller m'asseoir contre la porte pour écouter la radio, puis finalement, chaque fois j'y vais. Je n'ai de repos que lorsque je fends du bois à la hache. La relever au-dessus de ma tête et l'abattre de toutes mes forces sur les bûches qui craquent et éclatent me fait du bien. Je ne m'arrêterais plus. Je ne sens pas la fatigue. Le bruit des coups et du bois fendu me plaît. Le cœur ouvert des bûches est beau à voir et c'est agréable de tripoter l'arête vive des éclats. J'ai une envie folle de me mettre en jeux. Il n'y a pas beaucoup de ressources. On en invente des tas. On va même aux choses les moins ordinaires. C'est fou tout ce qu'on peut imaginer.

Quand le vent tombe, je vais fumer une pipe dehors. Le ciel est aussi blanc que la terre. Il y a une telle épaisseur de neige sur tout que tout a disparu. A peine si une ligne noire comme un fil de tabac dessine le contour des arbres. On a frotté la gomme sur tout : la page est redevenue presque blanche. Les grands châtaigniers des Chauvin sont effacés ; restent à peine des traces là où ils étaient. Le silence et le blanc font un tel vide qu'on a envie de mettre du rouge et des cris dans tout ça avec n'importe quoi. On ne veut pas se laisser aller. On a mille petites combines. Voilà à quoi servent les familles. Les femmes par ce temps-là sont des bénédictions. Pour dix minutes. Mais après ? Refaire le monde entier : il en faut du matériel ! On s'aperçoit qu'en temps ordinaire on a à portée de la main des petits riens qui sont tout. La sécurité ne réjouit pas. Ce qui compte, pour le bonheur, c'est de tout remettre en question.

Être heureux c'est abattre des atouts, ou les attendre, ou les chercher. Forcer la main est magnifique. Demandez aux gens quand est-ce qu'ils sont nés par ici : ce sont tous des enfants de l'hiver. Il n'y a pas plus de jour dans les maisons du village et dans les fermes que dans mon moulin. Les fenêtres, là-bas comme ici, ont les mêmes carreaux gris. La cuisine des Jourdan où j'ai bu le coup après avoir livré l'huile est chaude et abritée, mais un point c'est tout. Restent les coups de la bise contre les murs. Qu'est-ce qu'elle annonce ? C'est le commencement de quel théâtre ? Devant la porte rouge du poêle, là-bas, ils voient aussi le bout de leurs nez, leurs mains, leurs genoux, leurs jambes et leurs pieds. Admettons que pendant cinq minutes ils puissent rigoler en eux-mêmes du fait qu'il y a devant la porte rouge du poêle les nez, les mains, les genoux, les jambes et les pieds de toute la famille. Mais après ces cinq minutes, quoi ? Détester non plus ne dure pas. S'il y a quelques crimes, par ici, ce sont également des crimes d'hiver. Rabrouer des vieillards et même pousser plus carrément à la roue fait plaisir mais, comme ce qu'on a pour se distraire est fragile ! Dans un sens comme dans l'autre, tout est trop vite fait.

Il faudrait donc jouir de quoi, somme toute ?

Je ne sais pas, et après avoir regardé un bon bout de temps ce monde où tout est effacé, je rentre et je me remets au chaud. Eux aussi ils sont allés prendre l'air et ils rentrent et se remettent au chaud. Je vais un peu écouter la radio ; eux aussi. Il n'y a rien du tout là-dedans. Qu'est-ce que vous voulez que ça me foute l'Indochine ou M. Vincent Auriol ? Si : tout compte fait, c'est un bruit ; c'est un type qui parle. S'il était là, on pourrait l'utiliser deux minutes à voir la gueule qu'il a devant la porte rouge du poêle ; mais, il n'est pas là et, *naturellement*, on le déteste. Ça ne nous mène pas très loin.

Il y avait la radio chez les Jourdan. Et je parie qu'il y a la radio au bout du chemin, à gauche, après le bois de chênes, passé la croix (qui doit avoir de la neige jusqu'aux bonnettes). Il y a la radio là-haut chez les Edmond qui, mari et femme, seuls et en présence, ont commencé ces jours-ci à s'engueuler de temps en temps. M. Edmond a du souci. Ça l'occupe. Il y a sûrement du louche dans ce catimini pour l'huile qu'il vend peu à peu en cachette. Il y a un endroit où filent les sous : j'en mettrais ma main au feu. Mme Edmond reste des semaines dans l'état de quelqu'un qui adore le blanc et qui en a en veux-tu en voilà. Elle conserve précieusement un petit sourire idiot sur la bouche. Puis elle finit par s'apercevoir que son mari tourne d'un côté et de l'autre. Elle constate qu'il a quelque chose en tête. Et la voilà elle aussi avec du souci, dans cette maison encore plus chaude que les profondes fourrures de la terre où dorment les marmottes. Dans cette maison entourée de blanc de tous les côtés.

Je les entends s'attraper avec vigueur et décision. Ils

n'y vont pas de main morte. Je comprends qu'il s'agit de la « *charmante jeune fille, cette traînée* ».

Tout le plaisir est dans les fausses cartes. Ils le savent, là-haut à l'étage, comme je le sais au rez-de-chaussée, comme ils le savent dans les villages de la vallée couverte de brouillard et dans le village là-haut couvert de brouillard aussi. Maintenant, on a été tous mis au pied du mur. Il ne s'agit plus de faire les fiers avec ce qu'on a appris à l'école primaire. Faire passer que deux et deux font cinq vous chatouille drôlement sous les bras ; et pour un moment ; quand on comprend qu'on a tous les chiffres à fausser et que, ça vraiment, ça peut durer *in æternum*. Pour celui qui a envie d'être le premier moutardier du pape (et qui n'en a pas envie?) c'est une ressource magnifique. S'il fut un temps (et j'en doute) où l'on a pu régler l'affaire du bonheur avec des *comptes faits*, il est passé : c'est l'hiver. Il faut prendre le taureau par les cornes. Il y a un abîme entre la vérité et la vie. Ce n'est pas avec des remèdes de bonne femme qu'on arrive à jouir de ce qui compte. Tromper ne trompe pas mais rapporte, dans cette histoire où il s'agit surtout d'avoir un os à ronger. Les gens s'imaginent qu'il faut avoir une jaquette et un chapeau gibus pour passer aux actes. J'en ai connu dont la passion, disaient-ils, c'était la chasse. Tout le jour, par monts et vaux, avec des fusils de cinquante mille francs ; pas maladroits au surplus, au contraire. On pouvait se dire qu'à voir tomber les cailles ils passaient du bon temps. C'était d'ailleurs inscrit sur leur figure rouge comme une tomate. Ils avaient des dents de marbre, des moustaches d'or et les yeux candides de celui adroit à tuer. A regarder d'un peu plus près ils avaient d'autres choses inscrites par-ci par-là. Des décisions prises depuis longtemps avaient creusé leur petit sillon de chaque côté de leur bouche. Moi je savais qu'ils ne tiraient à la caille que par surcroît. Pas un ne m'a démenti par les faits. Quand on est bel et bien en présence du problème qui consiste à ce qu'on appelle vivre qui est simplement en définitive *passer son temps*, on s'aperçoit vite qu'on n'arrive pas à le passer sans détourner les choses de leur sens. Père et mère, femme et enfants, voisins, voisines, si l'on s'en sert comme il se doit, ça mène à peu de chose. Mais, si on s'en sert comme on ne doit pas, quel miracle ! C'est le cas de le dire : les arbres sont rouges, les truites font leur nid dans les buissons ; les montagnes, obéissant au moindre mot, se mettent en marche. C'est le seul moyen pour ne jamais être Gros-Jean comme devant.

Or, tout ça, c'est la vie courante. La morale, tout le monde la fait. Qui la pratique ? Personne, je l'espère bien. En tout cas, je n'en connais pas. Il y a toujours un tournant où je les attends et où je les trouve, ceux qui prétendent le contraire. C'est impossible de marcher dans la morale jusqu'aux genoux. Ils vous disent tous qu'ils ont fait la trace. Mais, essayez. Au premier pas vous enfoncerez jusqu'au ventre. Et, marchez après ça ! Montez les montagnes, passez les cols, essayez de faire de la route valable ; essayez simplement, si vous habitez un peu à l'écart, d'aller jusqu'au bureau de tabac pour acheter un paquet de gris. Il y a de quoi y laisser la peau. Ils ont tous des raquettes ou des skis. Où vous trimez comme un Noir ils volent comme des oiseaux. En admettant que vous finissiez par arriver à la boutique, ce sera pour la trouver vide. Ils seront passés avant vous. Vous sucerez le tuyau de votre pipe pendant qu'ils fumeront le tabac. A la longue, dites-moi donc ce qui pourrait continuer à compter après ça, sinon l'expérience ?

Certes, là comme partout il n'y a pas de héros déclarés, de Bayards qui font profession. Ce sont de bons diables. Mes chasseurs dont je parlais tout à l'heure, croyez-vous qu'on aurait pu leur refuser le bon Dieu sans confession ? Des certificats de bonne vie et mœurs authentiques, il faudrait des corps d'armées pour les leur rédiger. Tu parles si la maréchaussée a autre chose à faire qu'à s'occuper de tous ceux qui en sont venus petit à petit à se servir de soi-même comme on ne doit pas ; c'est-à-dire à s'occuper de tout le monde ! Et c'est justice : voilà le grand mot.

Miser gros, c'est la vie, et tricher pour pouvoir le faire sans risquer de perdre la boule. Jamais carte sur table. Il faut que le roi de tout ce qu'on voudra, même celui des mouches, perde son droit.

J'ai mon moulin, et mes poêles, et mon alcôve entre les sacs, mais se donner constamment *beau jeu* est un abri bien plus efficace. Si tu attends d'un cœur simple que le rideau se lève sur les trois coups que la bise frappe constamment contre les murs, c'est : « Un jour de bonheur, cent ans de misère » qu'on va te jouer d'année en année, sans changer de répertoire, et tous les enfants d'ici naîtront entre la fin juillet et le début d'octobre. C'est trop régulier pour que ce ne soit pas une combine, tu comprends bien. La malice est cousue de fil blanc.

Tromper, comme c'est solide et valable. Comme on est payé de ses peines. La peine même est un plaisir. Quel abri sûr!

M. Edmond vient faire sa petite inspection et sa causette. Depuis quelques jours, il tourne autour d'un pot. Nous avons déjà livré trois fois de l'huile au camionneur qui était venu la première fois. Toujours avec la même cérémonie. Je suis de la famille. Je demande un jour de congé. Pour quoi faire? Je ne réponds pas et je rigole. « Oui », dit M. Edmond.

Je me taille la barbe. C'est une splendeur. Elle est dorée sur tranche. J'ai l'air d'un pape. Je fais chauffer une bassine d'eau. Je me lave du haut en bas.

Je monte au village dans mes vieilles frusques mais je vais aux « Comptoirs Économiques » et je donne un coup de pied à l'armoire. Je m'achète chemise, pantalon, veste de chasse en velours et quarante centimètres de faille noire pour me faire la petite cravate comme je l'aime. Je passe chez Anatole et me fais donner un petit coup de tondeuse sur la nuque, un cran de ciseau autour des oreilles. La glace me renvoie l'image d'un zèbre au poil, frais comme l'œil. L'Anatole veut me coller de sa violette ou du foin coupé. Je l'arrête. J'aime mon odeur. Et j'ai remarqué mainte fois que le sexe n'y crache pas dessus. Je suis un blond qui a chaud aux fesses et sous les bras. Généralement ça impressionne. Aucune envie qu'il me bousille mes séductions avec son vaporisateur.

Je réfléchis et je fais d'abord un tour chez le Louis. Il est dans sa cuisine à déballer des boîtes de pantoufles fourrées. Je lui demande s'il n'aurait pas une paire de bottes lacées dans mes prix. Nous descendons à l'écurie où il tient tout son matériel de forain et il me trouve ce qu'il faut : semelles en uskide et tige en vache. « Dégèle-moi ça, dit-il, c'est souple comme un gant ! » Au fait, il n'y a pas cinq minutes que je les ai aux pieds que c'est vrai. Il me trouve aussi une casquette qu'il dit anglaise, et pourquoi pas ? En tout cas, elle a des rabattants pour les oreilles. S'ils font ça en Angleterre, ils ne sont pas bêtes !

C'est un régal de déambuler dans cet attirail. Le costume, c'est ma faiblesse. J'ai gardé mon vieux tricot.

Je vais à l'auberge sur le coup de dix heures du matin et la mère Machin en prend un bon coup en me voyant. Elle me demande si je suis de noce et je dis oui. La barbe et le velours, l'œil d'innocence et mon odeur font leur petit boulot en première.

Je monte chez l'artiste. Il est naturellement encore couché. Mais mon arrivée et tout l'appareil lui coupent le sifflet. Il ne s'attendait pas à ça. Je jubile sans arrêt. Le roi n'est pas mon cousin.

On se fait faire des bifs de veau aux pommes, à quoi, d'autorité, la patronne ajoute du boudin frit et un plat de *chouilles* qu'elle a coupées elle-même dans la gorge de son cochon, tué d'avant-hier, comme par hasard. On boit du vin bouché. C'est la belle vie pure et simple.

Sur les trois heures de l'après-midi arrivent Nestor et le fils Daumas. Un peu après, Ovide Molinier et Ferréol accompagnés d'un zèbre sur lequel je ne mets pas de nom mais qu'on appelle Fil de fer. Puis, c'est Gauthier l'aîné, et Arsène Giraud qui tient déjà une muffée de première. Là-dessus, le temps qui était déjà noir se met résolument à la neige et il en tombe à cacher les maisons d'en face.

Tout ce beau monde a touché la main à l'artiste et à moi. On s'est attablé près du poêle. On a commencé à lécher des *mesurons* de vin blanc. C'est magnifique. Le velours de ma veste sent le neuf et cette odeur me monte à la tête.

On joue à la « Catherine ». Un jeu d'ici qui est une sorte de poker mâtiné de bésigue, un truc qui a l'air bon papa, mais brutal et très vinaigre. C'est plein de poches comme au billard anglais. Vous vous croyez à l'abri au moment même où la matraque vous siffle autour des oreilles. C'est un jeu tout à fait adapté à la compagnie qui fume ici dedans à plein tube. Giraud et son nez en forme de soulier, Ovide et son goitre, Fil de fer qui passerait par le trou d'une aiguille, Nestor qui pèse cent vingt kilos, le fils Daumas avec sa gueule de cinéma : tous des gens à qui il ne faut pas en promettre dans le genre de chose qu'on vient d'entreprendre.

Je tiens ma place. Après mes achats du matin il me reste sept mille francs. Heureusement qu'ils font des petits dès les premiers coups sans quoi je ne pourrais pas suivre. Tous ces gars ne parlent guère mais jouent gros. Sur un coup de pot, net et sans bavure, assez coquet, il y a même un très grand silence. Puis ça reprend.

Au fond, ils se foutent des sous. J'ai beau savoir qu'ils en gagnent facilement avec leur bois de charpente, j'aime beaucoup cette façon de traiter le pognon par-dessous la jambe.

Il y a certainement autre chose pour tous dans ce jeu-là. Ce n'est pas la première fois de ma vie que je me distrais de cette façon, je vous prie de le croire. Je passe même pour un dur : c'est dire que j'aime le risque pour le risque, comme il se doit. Je ne me mets jamais à table en vue d'un carnet de caisse d'épargne. Je sais m'appliquer la mousmé au bon endroit et de quelle façon on l'agite pour se fabriquer un bon sentiment de supériorité incontestable, gagnant ou perdant. Je vais à l'essentiel qui est, avant toute chose, d'exister et par conséquent d'être quelqu'un. Que j'aie ce sentiment-là, et le porte-monnaie : poussière.

C'est évidemment le cas de tout un chacun (qui plus qui moins) et surtout autour de notre table cernée de neige puisqu'on est venu là exprès pour se prouver ça ; mais l'artiste a donné à la chose un tour un peu particulier.

Les premiers temps je le surveille sans en avoir l'air, mais très précisément, car un homme averti en vaut deux. Je ne vois pas un poil de mouche. A me demander si je rêve ; si j'ai rêvé ces doigts agiles, ces atouts sortant de ses mains comme de la machine du fabricant. Il ne gagne pas, il ne perd pas de façon visible, moi non plus. Je gagne (puisque je l'ai dit et que sans ça je ne pourrais pas suivre) mais normalement, *par la force des choses*. Et pour nos zèbres c'est pareil. Tout le monde a sa chance.

Je suis assez bête pour me demander si tout tourne rond. Je suis si bien dans l'odeur de ma veste de velours, je suis si heureux de voir, sous ma barbe, les pointes noires de ma cravate de faille que je ne voudrais pas que l'artiste soit précisément à ce moment-là dans une période d'infériorité. Je suis rassuré tout de suite. Il se fout de ma veste de velours comme de l'an quarante et de nous tous comme de sa première culotte. La salive emplâtre sa bouche, comme il se doit quand il jubile. Son regard est de cette laideur triomphante que je lui ai vue déjà plusieurs fois quand tout va bien pour lui.

Ce n'est cependant pas la mise qui le fait jouir. Nestor hasarde des paquets de billets à la limite de ses poches puis il ferme à moitié l'œil et se renverse un peu sur son dossier de chaise. C'est qu'il a beau jeu mais il sait qu'à tout beau jeu il y a paille. Il joue gros pour rester sensible. Le petit Daumas avec sa moustache en gousse de pois chiche joue très jeune. C'est dangereux pour tout le monde : lui et nous. C'est ce qu'il veut. Il nous entraîne deux ou trois fois dans de mauvais lieux où, avec nos vingt ans de plus nous courons le risque de rester en carafe. Il aime nous voir patouiller dans des trucs où il faut de l'inspiration. C'est parfois nous qui l'avons finalement et pas lui. Sa déconvenue l'alimente. Jeunesse! C'est Fil de fer qui aurait le jeu le plus proche du mien. Il ne peut pas perdre : il joue pour jouer. Ce qu'il a, il le donne volontiers. Il ne pourrait rien s'acheter de meilleur avec ses sous que ce qu'il s'achète présentement. Tout le monde est dupe. Sauf lui. Il n'y a pas en face d'habileté qui vaille. Molinier, Ferréol, Gauthier l'aîné, Giraud sont d'excellents vis-à-vis pour quadrille et suivent la musique mieux que d'instinct. Il ne peut pas être dit qu'ils gigoteront moins bien que quiconque. Ils font la femme avec plaisir. Tous poches pleines. Et non seulement, mais par-delà les vitres d'un blanc pur où plus rien n'est marqué du village et du monde, ils voient, sans même la peine de regarder, toutes les réserves de valeur que la vie et les compromissions de chaque jour ont entassées autour d'eux. La puissance qu'ils pourraient jeter d'un seul coup sur la table, quitte à tout perdre. Quelle joie ! (Et on a dit que cette terre était déshéritée !) Fermes, cercles de famille, bétail, troupeaux, greniers, terres labourables, automobiles, camions, tracteurs, attelages, exploitations forestières, scieries, bois en grume, bas de laine, comptes en banque, coffres, pièces d'or, titres, et autour, serpentant dans les caillots de la terre, toutes les routes qui n'appartiennent à personne ; les saignées par lesquelles, sur un coup de chance, tout peut couler comme de l'eau.

Je vois les petits yeux de blaireau de l'artiste qui fouillent de tous les côtés et déterrent des truffes ; qu'il déguste. Il a une petite pâquerette de salive au coin de la bouche. Le travail obscur de ses mains se fait sans qu'il soit obligé d'y penser. C'est pour ça qu'il est invisible. Je me dis qu'il a trouvé *mieux que le jeu* : il triche. Il n'a jamais de sécurité. Ses gains sont toujours contestables. Il risque constamment sa mise et sa peau ; et la mise ne compte pas puisqu'il triche, qu'il en dispose à son gré, la donne à Pierre ou à Paul pour préparer le gros coup. Ce qui compte, c'est sa peau, c'est ce qu'il risque ; le gros coup ne sert qu'à risquer plus. Pas de réserve, sauf ses quatre ou cinq litres de sang qui, d'une minute à l'autre peuvent couler dans la sciure. Où nous crachons tous abondamment. De là, le couteau à cran d'arrêt (on n'est pas des saints !) que, moi aussi, sans avoir besoin de regarder, je sais qu'il a dans sa poche. Passé cette faiblesse (je le répète : il n'est pas *obligé* d'être un saint) c'est un bien plus beau joueur que nous. C'est lui qui joue la vérité. Tricher *l'oblige* à miser l'essentiel. Il est quelqu'un en plein.

J'ai brusquement un peu le cafard. Il ment contre lui avec ce regard qui s'est enlaidi à désirer plus violemment que tout le monde ; mieux et beaucoup plus.

Naturellement nous jouons sans plafond.

On dit basta vers sept heures. J'ai gagné dans les quinze mille. L'artiste perd quatre. Nestor gagne cinq. Le reste est en perte sauf Ovide qui gagne dans les soixante.

J'imaginerais que c'est fini. Mais il y a mieux, paraît-il. Il est dit que nous devons maintenant aller manger chez Ferréol. On y court. C'est une façon de parler car il est tombé cet après-midi vingt bons centimètres de neige fraîche sur de la vieille neige tôlée. On fait trois pas en avant, vingt en arrière jusqu'à la sortie du village où, hors de l'abri des murs, le gel a tout bloqué dur comme fer.

Le temps aurait plutôt tendance à un fil de vent à cette heure. Les nuages se sont relevés et, par instants, un petit coup de lune vient voir ici-bas ce qui reste d'intact. Rien : aux arbres qui sont encore là il manque soit un côté, soit le milieu ; ce sont des ruines, des pourtours ou des débris. Du côté du nord, blanc comme neige (c'est le cas de le dire). Parfois du côté du sud un branchillon ou deux qui donnent encore signe de vie.

Nous montons tous les neuf sur des pistes personnelles ; sans piper mot ou, de temps en temps, quelque chose qui a rapport au froid.

Ferréol habite au hameau du dessus, là où nous avons débarqué en premier, l'artiste et moi. C'est une maison avec des toitures à n'en plus finir.

La mère Ferréol est un petit poivre, bien décidée à se servir de toutes les façons du moindre gramme de ses cinquante et un kilos. J'avais un peu peur qu'elle nous donne du balai, ou qu'elle ne dissimule pas sa forte envie de le faire, comme c'est l'usage, mais, pas du tout. Quand nous entrons à la queue leu leu, elle nous passe la revue de détail au fur et à mesure, pour son usage personnel. C'est fait avec un tour de main extraordinaire. Quelque chose dans le genre du tour de main de l'artiste, soigneusement mis au point et bien rodé. Impossible de confondre avec de la Marie-couche-toi-là, mais aux mêmes fins : impossible de confondre non plus. Elle a vite fait de me faire comprendre que je suis la bleusaille du lot et qu'il y a des corvées en perspective. Je n'ai pas l'habitude de renâcler à cet ouvrage-là quand ça se trouve. Elle sait très exactement ce qu'il y a derrière mes yeux d'innocence et mon air de ne pas y toucher.

Elle est fluette mais bien roulée, dans les quarante-deux, quarante-trois. Elle pose à la vierge sage. Mais je ne crois pas qu'elle puisse rester cinq minutes avec n'importe quel homme à pied, à cheval, en voiture, en wagon, en car ou sur le trottoir sans engager la conversation, prêter le flanc et s'extasier pour des riens. « Oh! comme vous avez de beaux boutons de culotte! » Et ainsi de suite. Le dernier rencontré est le dieu qui fait pleuvoir, et à lui le pompon. C'est visible comme le nez au milieu de la figure. Il ne s'agit même pas d'être spécialiste. Un enfant de six mois comprendrait tout de suite que c'est une dame pour l'usage externe. Elle est déjà en train de se demander avec quoi elle se justifiera : avec ma barbe ou quoi ?

La maison sent l'or à plein nez. Je savais que Ferréol a six cents hectares de forêts en pleine exploitation, mais j'étais loin d'imaginer tout ce que pouvait faire avec ça une petite bonne femme qui a besoin de compagnie.

On commence par s'enfiler de l'apéro. Le plus clair de ce que je vois tout de suite (en plus de ce que je viens de dire) c'est qu'on était attendu et que Ferréol nous a amenés là comme la becquée à son petit oiseau.

Il y a des odeurs bien sympathiques qui sont celles d'un civet de gros lièvre, ou peut-être même de sanglier et d'un rôti qui doit être quelque part à l'étroit dans un four.

Le fils Daumas jouerait volontiers de la moustache en direction de l'une des servantes, mais il ne mène pas la main de la même façon qu'aux cartes. Il serait plutôt disposé, à ce qu'il paraît, à cueillir des poignées de fleurs dans l'air du temps. L'homme est bizarre.

Je me dis qu'avec ces trois ou quatre femmes (dont une), un petit coup de guitare et l'artiste serait le phénix des hôtes de ces bois. Mais non, il a un air grave où la laideur de son regard est parfaitement à sa place. La mère Ferréol et ses poules rebondissent là-dessus comme des boules de billard sur la bande.

Du temps que je me parle (je ne suis désinvolte que de sang-froid) intimidé, tout compte fait, par les propositions sans nombre de ce pays de cocagne, nous enlevons nos vestes et même nos tricots pour tenir le coup à toutes les chaleurs diverses, puis on passe à table.

On fait un repas du tonnerre, dans l'honneur et la dignité. A mon avis, il n'y a qu'une façon de manger. Ne jamais s'en laisser compter par l'estomac. Il prétend qu'il est plein ; allez-y : vous serez étonné de tout ce qu'on peut encore fourrer dans un estomac plein. Ce qui nous est le plus nécessaire aux uns comme aux autres, c'est le sang. Il faut en avoir le plus possible. Des quantités de choses qu'on aime peuvent nous en réclamer à chaque instant. C'est bête de faire ceinture devant des choses épatantes qu'on rate de posséder faute de quelques gouttes de sang. Manger organise tout.

On fait du sang en quantité dans cet endroit cerné par la neige, et par la nuit, et par l'ennui. On s'entasse dans l'estomac de bons morceaux de sanglier maison, des gorgées de vin, des taillons de pain trempés dans la sauce au poivre, comme on mettrait des poignées de cartouches dans la poche du veston de chasse. Et, on ne va pas à l'économie, on n'est pas avare. Nous ne sommes pas ici pour mettre notre sang en bouteilles mais pour le jeter aux moineaux. Il y a encore des plats sur la table qu'on a les cartes à la main. On finit une bouchée et déjà on *coupe* ; on donne le départ au destin. Il faudrait être resté toute sa vie le cul sur une chaise pour ne pas comprendre qu'on a raison d'être pressé.

Finalement j'ai beaucoup d'admiration pour la dame de cinquante et un kilos. Elle manifeste l'intention de jouer avec nous, et aussi dur que tout le monde. Tout en ne perdant pas de vue l'autre façon de dépenser son sang et de tirer sa poudre aux moineaux. Si elle savait ce que je pense d'elle en ce moment, elle ne serait pas flattée. Si elle savait ce que tous les hommes qu'elle s'est envoyés ont pensé d'elle un peu avant le moment précis, elle ne serait pas fière. Mais la fierté est une chose et la solitude en est une autre. On ne tire pas des coups en l'air pour tuer la grosse bête. C'est pour lui faire peur et pour se rassurer qu'on le fait. Qui peut résister au besoin physique d'être quelqu'un ? Tous les moyens sont bons.

On nettoie la table en cinq sec. Pour être juste, on la balaie. Ferréol tire sur la lampe à contrepoids et fait descendre l'ampoule électrique au ras des têtes. Je me demande comment, dans cette clarté, l'artiste pourra continuer à tricher. Ça doit déjà fonctionner dur et suavement dans son petit râble. Ovide a un geste charmant pour placer son goitre bien soutenu par son col de chemise. Nestor frotte ses grosses fesses sur la paille de sa chaise jusqu'à ce qu'elles soient bien décollées et qu'elles s'appuient ouvertes. La dame de cinquante et un kilos lèche un centimètre de lèvres avec un gramme de langue. Nous faisons tous tout ce qu'il faut pour être bien à notre aise pendant qu'on dit ce que tout le monde sait, c'est-à-dire qu'il n'y aura pas de plafond. Tu parles ! Qu'est-ce qu'on en ferait ?

On donne les cartes dans le plus profond silence.

Cette fois on va vite. Ce n'est plus du jeu de café. C'est du jeu de charbonnier ; maître chez soi. Le premier coup me coupe le souffle. Le second ne me le rend pas. L'artiste est beau comme la femme à barbe.

Je suis déjà écœuré. Je passe deux coups. Ferréol n'avait pas besoin d'abaisser la lampe ; j'ai compris. Plus on est gros plus on veut l'être ; ces hommes des forêts montagnardes n'en finiront jamais de vouloir. Ils ne seront jamais assez dieu devant les autres (devant l'autre) ils veulent l'être de plus en plus. Or, ils essayent ça avec des sous et des règles : ils n'y arriveront jamais. Je serais plus rassuré s'ils jouaient pour gagner de l'argent. Je ne le suis pas du tout.

D'autant moins que je commence à voir, vaguement, le jeu de café de l'artiste. Je me demande à quoi il pense de faire ces gracieusetés sous cette lumière aveuglante. Puis, je comprends qu'il est en train de réussir ce que les autres ratent. Il est le seul à jouer le sang qu'il vient de faire ; et aussi fièrement qu'eux leurs sous.

S'il le voulait, qui l'empêcherait de faire ses coups derrière l'air, comme au bistrot? Il est toujours aussi habile. Je vois qu'il est obligé de se forcer pour ne pas l'être. Quelquefois, il *perd le contrôle de soi* et il réussit magnifiquement sans y penser un coup invisible. Mais tout de suite il se reprend. Il y a trop de neige, trop de nuit ; nous sommes trop loin de tout. Alors il se découvre, il décompose, il triche au ralenti ; pour un peu il expliquerait. Or, les bons petits copains, là autour, ont beau être froids comme glace ; ils font ça pour jouer comme tout le monde ; donc, ce qu'ils misent leur tient à cœur. A chaque instant, le ventre de l'artiste passe à un millimètre des cornes. Il mâche tout un bouquet de salive.

Je n'ai plus ni assez de tripes ni assez de pognon pour rester à table. Je me dresse et je me dégourdis les jambes.

Ferréol me dit que je devrais en profiter pour aller chercher du vin à la cave. La dame de cinquante et un kilos allume la lampe Pigeon et nous y allons.

Quand nous remontons, on nous demande en rigolant si nous avions l'intention d'y coucher. Ils se foutent de nous comme si nous venions de jouer aux billes. Eux aussi en sont au même point. Ils ne possèdent rien de plus que ce qu'ils possédaient avant de jouer. Que les tas de pognon soient plus gros ou plus petits devant les uns et les autres, ce n'est pas ce qui leur fera plus belle jambe. Il faudrait pouvoir continuer à perpette. Mais, est-ce qu'on ne s'en fatiguerait pas ? Est-ce qu'on n'aurait pas alors besoin de passer à un autre genre d'exercice? Obstinément l'artiste joue sa peau et lui non plus n'y croit plus guère. Il a dû s'essuyer la bouche du temps que j'étais en bas. Ses lèvres sont nettes. Il est en train de blaguer. Il fourre un paquet de sous dans sa poche. Ceux qui ont gagné en font autant. C'est fini pour ce soir.

Nestor en a encore pour une bonne heure avant d'être chez lui. Il faut qu'il monte jusqu'à la Clarée. Heureusement le vent a dépecé les nuages. La lune nage dans de grands morceaux de ciel libre. On y voit par moments comme en plein jour. Il gèle et la neige est dure. Les forêts de verre bruissent comme du cristal.

Le fils Daumas s'en va vers la gauche. Nous descendons, Gauthier l'aîné, Fil de fer, l'artiste et moi, en donnant de temps en temps la main à Arsène Giraud qui a remis sur sa muffée sans arrêt. Malgré ça, il tient encore à peu près d'aplomb sur ses jambes. C'est un pays dans lequel il a été saoul toute sa vie, hiver comme été, nuit et jour, qu'il vente, qu'il grêle. Il a des lieux une connaissance de saoulographie qui vaut bien la nôtre. Ovide Molinier s'est arrêté pour poser culotte.

Nous traversons des boqueteaux où notre bande fait éclater le gel des buissons. Nous luisons comme des pères Noël saupoudrés de sucre. A mesure que nous descendons, le brouillard s'avance en foule à notre rencontre. Bientôt, nous sommes au milieu d'une flopée de personnages extraordinaires. Ovide Molinier nous hèle et on l'attend.

J'ai encore à descendre jusqu'au moulin, mais je fais trois pas pour reconduire l'artiste jusqu'à l'auberge. Après avoir quitté la compagnie tous les deux, nous avons pris par le tour des pâtis, de façon à rester au clair hors de rues où boutiquiers et artisans ont dû tout le jour balayer des saloperies et faire des congères sur lesquelles on peut se casser la gueule. Nous marchons sans rien dire sur le glacis taillé à vif. C'est un très bon moment paisible où je suis tout relâché et très heureux.

— Alors, ça te plaît? dit l'artiste.

— Il faudrait être difficile.

— Qu'est-ce que tu en dis de revenir?

— Je n'en dis pas non mais pas tout de suite. En réalité, tu n'as pas tellement besoin que ça de ma bonne bouille.

— Non. C'était pour voir si tu mordrais.

— Tu m'avais déjà vu autour d'un bifteck.

— Ça ne vient pas du même rognon.

— Je crois que si.

— En tout cas, tu fonctionnes.

— Tu parles! Pourquoi non?

— Je ne sais pas. Tu n'as pas l'air.

— Je n'ai pas l'air mais j'ai la chanson.

— Tu sais que les portes sont toujours ouvertes.

Je ne peux pas me retenir de lui dire qu'il n'y a jamais nulle part aucune porte de fermée.

Il mijote ça une minute puis il rigole et il me dit : « Tu n'es pas con. »

Il est dans les trois, quatre heures du matin quand je pousse la porte de derrière au moulin. Je garnis mes poêles puis, je me couche dans mon alcôve sans prendre trop soin de mes frusques neuves : ce que je me reproche juste avant de m'endormir, mais vraiment trop tard pour que je bouge même le petit doigt.

Le temps fait risette pendant deux ou trois jours. Je m'amuse à regarder apparaître hors des nuages et du brouillard bousculés de vent et de soleil la gueule fourrée du pays qu'on a perdu de vue depuis une bonne paye de temps. Reste à savoir si tout ça est peuplé ; on ne le croirait pas à voir tout cet enduit lisse de neige grasse qui couvre tout. Mais, d'un simple jour à l'autre, je vois apparaître des chevrons noirs qui sont les toitures des sapinières ; des ronds noirs qui sont les abords des maisons isolées et, vers les midi, en plein soleil, de petites bêtes noires qui sont des moutons qu'on fait se dégourdir et prendre l'air au seuil des bergeries. Puis, le soir tombe et le gel bleu fait craquer les forêts. Puis la nuit vient et chacun se tait.

J'ai naturellement fait le compte de cette journée de

bamboche. J'ai gagné en tout treize mille francs. Et des bénéfices divers, dirons-nous.

Chez les Edmond, ça ne va pas mieux, au contraire. Ça piaille chaque jour plus fort que la radio. D'ailleurs, quand ça commence, on la coupe. Et quand c'est fini on la remet. J'entends des bribes d'engueulade où il est souvent question de la charmante jeune fille. M. Edmond ne se fait pas faute non plus de prendre parfois la voix de tête. A les entendre, ils sont putains et salauds tous les deux. Pourquoi pas? C'est fort possible. Qu'est-ce que ça change? Est-ce qu'ils ne feraient pas mieux de s'arranger avec? Au lieu de ça, ils sont tout le jour à se prendre des mesures et à constater que ça ne colle pas avec le modèle. Pourquoi? Ils croyaient que ça collerait?

On a enterré une jeune femme au village. Elle est morte en couches. C'était un enfant de printemps.

On peut ne pas vouloir se plier aux circonstances ; être un malabar entêté, c'est un truc comme un autre. Il faut de tout pour faire un monde. Reste à savoir qu'il y a des effets de recul et des retours de flammes.

La vie (j'y pense) c'est mille riens. Il y en a qui en font une affaire. Non. C'est peut-être le premier narcisse qui compte. Et pas forcément en beau.

On a une alerte à proximité. Les Chauvin foutent le feu à leur cheminée. Tout le monde y court. Il y a finalement plus de bruit que de mal.

Le lendemain, M. Edmond me donne la main pour ramoner nos tuyaux de poêle. Il faudrait aussi pouvoir passer le hérisson dans la cheminée, mais va te faire fiche avec la neige du toit! J'ai idée qu'il y a une trappe dans le grenier. Nous allons voir, et en effet. Ça nous permet de récurer comme il faut. Il y avait la suie de dix ans. Nous dormions sur un volcan. Le soir en me couchant, je regarde mon alcôve d'un drôle d'air.

Je pense à Nestor qui montait en pleine nuit à la Clarée, gros comme un buffle, rejoindre quoi? Cent mille théâtres (on sort de l'un pour entrer dans l'autre) sur lesquels à chaque instant nous faisons notre petit numéro, tout seul. Et le sommeil, où nous avons décor et compagnie.

Le temps s'est remis au mauvais. M. Edmond descend s'asseoir près de mon poêle.

— Tu ne voudrais pas me rendre un service?

— Volontiers.

— Ça m'embête.

— Dites toujours.

— J'aurais besoin que tu ailles chez ce type maigre, tu sais?

— Oui, je vois très bien. Pour quoi faire?

— Demain à midi, par exemple, monte à l'étage pendant le repas et demande-moi deux jours de congé.

— Ça va paraître bizarre. J'ai déjà demandé un jour il n'y a pas longtemps.

— Je sais. Tu n'as pas un truc?

— Avec la camionnette j'y vais dans un après-midi.

— On ne sort pas la camionnette. Tu y vas en cachette. A pied. Il y a des raccourcis mais tu seras obligé de coucher à Pont-de-l'Étoile au retour. Pas possible autrement.

— Voulez-vous que j'essaie de faire ça à pied en un jour?

— Pas question.

— Il y a combien de kilomètres?

— Il ne s'agit pas de kilomètres. Si tu passes par le pont il ne faut même pas y penser. Par le chemin que je te dirai, c'est pénible en cette saison, surtout au retour. Je ne voudrais pas que tu y restes. On serait frais!...

— Est-ce que Mme Edmond croira n'importe quoi? Vous savez qu'elle a toujours son mot à dire.

— Lui faire croire quoi que ce soit, tu sais, à celle-là!...

— Faudrait cependant que ça tienne debout, j'imagine!

— Tu parles! Il faut que ça soit dur comme fer; qu'elle ne se mette surtout pas à aller dans cette direction.

— Alors, je ne sais pas. Vous voyez mieux que moi.

Il ouvre la bouche pour me répondre (et je sais quoi). Mme Edmond m'appelle de là-haut.

— Est-ce que vous avez vu mon mari?

Je cligne de l'œil au patron.

— Il est à l'étable.

— J'y vais, souffle M. Edmond. Et il sort par la porte de derrière.

Je réfléchis tout le soir à son système. Comment clouer le bec à la dame? Puis j'ai une idée et je rigole.

Le lendemain à midi, quand je juge qu'ils en sont bien à la soupe, je monte en essayant de me faire le plus couillon que je peux. M. Edmond est à l'abri derrière le journal du jour qu'il a dressé contre le litre. Quand il me voit il avale sa soupe de travers. Il me dit : « Qu'est-ce que tu veux? » Je demande carrément deux jours de congé et, en tout cas (j'insiste) une nuit.

— Encore? dit Mme Edmond.

C'est ici que l'air couillon me sert. Je fais mon œil le plus rond pour dire bêtement : « Eh! oui! »

Elle mâche de l'amertume avec sa soupe.

— Pour quoi faire?

Je la regarde dans les yeux et je dis :

— J'ai une poule dans les environs.

Elle a de la ressource et elle répond du tac au tac :

— Toi aussi?

Mais j'avais prévu le coup et j'enchaîne.

— Mettez-vous à ma place.

Ça lui coupe le sifflet et pendant qu'il est coupé j'ajoute bien gentiment :

— Elle a des besoins.

Elle est rouge comme une tomate.

— Bon, dit M. Edmond, et pendant deux minutes il m'engueule. Je suis menacé de tout. Lui non plus ne joue pas mal la comédie.

Somme toute, j'ai vu juste : il fallait procéder par allusions délicates, comme j'ai fait. Les mots n'ont pas le même sens pour tout le monde. Je redescends dans ma cagna avec mes deux jours francs; et ma nuit. Qu'est-ce qu'elle a bien pu mettre dans cette nuit, la mère Edmond? Elle a dû avoir d'un seul coup l'œil enchanté comme de ces presse-papiers en verre dans lesquels il pleut de la neige, des ballons, des confetti de toutes les couleurs, sans jamais que ça s'arrête. Ah! canaille! Je parie qu'on fait encore quelques bons verres de vin rouge en passant au pressoir le pape le plus sec.

Descend, bien entendu, M. Edmond sur le soir. Pendant que madame a pris et a gardé à la radio un bon petit machin de musique de nègre que j'écoute toujours avec grand plaisir. Elle est en train de se faire un sérieux lavage d'estomac à la lavande. Elle donnerait toute l'huile d'ici pour être bien certaine qu'elle a l'haleine parfumée.

Avec le patron, c'est : « A moi, Comte, deux mots! » mais à la gentillesse. Il m'envoie des fleurs et je lui les rebalance. Nous perdons ainsi un bon bout de temps mais pas précieux du tout. A la fin, quand il se décide à me dire de quoi il retourne exactement, je l'ai plutôt où je pense et ça ne me plaît qu'à moitié. Ce qu'il veut, c'est que je porte deux cent mille balles au zèbre susdit. S'il y en a un qui reste la bouche ouverte, c'est moi!

Je fais une objection idiote qui s'annule du moment que je la fais.

— Et si je les garde?

Il dévoile une batterie.

— Tu n'es pas un type à ça, d'abord. Ensuite, avec le temps qu'il fait, on t'aurait avant que tu sois à la route. Le téléphone marche.

Je n'ai pas à me formaliser. Je l'ai cherché. Et il a raison : le temps est pour lui et moi aussi d'ailleurs. Deux cent mille, c'est trop.

— J'aime pas beaucoup ça.

— Et moi, dit-il, tu crois que je l'aime?

S'il crache deux cents billets, évidemment non.

Il soulève quelques voiles. C'est faisandé, comme un panier de grives dans la malle arrière d'un car. Je dis : « Passons aux détails techniques. » J'aime mieux qu'il en reste au demi-mot. Moins j'en sais, plus je prends l'air.

Il faut conserver beaucoup de points obscurs en toute chose. Nous parlons du chemin à suivre.

En prenant par où il dit, en deux heures on est au torrent en bas. Il connaît fort bien l'itinéraire. Demain, si nous avons encore dehors la petite plaisanterie qui secoue les vitres j'en aurai sur la même distance pour trois ou quatre heures grand format ; et encore, grâce à ma bonne constitution. Je traverse le torrent, ça c'est du gâteau. Et après? Après, par temps clair, c'est facile. Et par temps pas clair? C'est plus difficile. Je le pensais bien. J'ai trois repères censément, des bergeries qui doivent être comme des taupes sous la neige actuellement, et une ferme habitée. J'espère qu'ils auront marqué leurs pas en noir tout autour. Je rejoins la route de Pont-de-l'Étoile et, de là la croix (elle doit être dans les trente-sixièmes dessous sa croix. Il n'imagine tout de même pas que je vais farfouiller comme aux champignons pour la trouver), bois de chênes et chemin à gauche. Vu. Il faudra avoir du nez et arriver en plein jour sur les lieux sans quoi je vais jouer à la petite guerre et même à la grande. Il n'y a pas d'erreur, la nature ne facilite pas la civilisation.

— Dites donc, patron, blague à part pour le téléphone, vous ne trouvez pas que ça serait plus convenable un jour de beau temps?

Il me dit qu'il n'est pas le maître et que ça presse. Il se remet courageusement à patouiller dans sa bourriche de grives. Il doit savoir que j'ai le nez fin. Je lui donne gagné en une minute.

Il me fait encore quelques petites recommandations.

J'en redemande. Pas de reçu. Le type maigre me donnera quelque chose en échange des sous. A mon idée, ça ne doit pas être bézèf.

Sur ce, il remonte dans son étage. Je casse la croûte, et au dodo. Lui sans doute aussi. Douce nuit ; nuit sainte, comme toutes les nuits. Jésus descend sur la terre. Je serais curieux de voir la gueule que font les anges gardiens avec leurs éventails en plumes au pied du lit conjugal des Edmond.

Le lendemain, il fait un temps immobile, ni mauvais ni bon. Ce qu'on en voit donne à peu près ceci : le fond de la vallée est noir comme de l'encre ; à nos hauteurs se balade une foule de brumes blanches comme du lait de chaux. Ce qu'on en pressent, c'est qu'il est sur l'expectative et que, selon son humeur, il fera ce qui lui plaît. Reste à se glisser savamment entre la noix et la pierre.

M. Edmond vient en vitesse me donner le petit paquet. C'est ficelé dans du papier journal. Je fourre ça dans ma musette avec de quoi croûter et un demi-litre de gnole.

La neige porte. Ça va assez. Je prends carrément la droite du moulin comme il m'a dit et, avant l'orée du bois, je descends. A mesure que je m'enfonce je croise de plus en plus des foules de brumes qui mènent leur petit train à flanc de montagne, visitant les boqueteaux, me saluant avec leurs grosses têtes de laine ou me passant sur le corps avec douceur et obstination.

Au bout d'une heure je suis perdu. Le contraire aurait été tellement surprenant que ça me rassure. Je continue à descendre avec précaution. Je suis dans un petit bois et je m'accroche soigneusement aux arbres. La pente n'est pas très forte. Au-dessous de moi, si M. Edmond a dit juste, doivent se trouver quelques fermes dispersées qui forment le hameau des Chauvettes et, en effet, dès l'orée du bois j'entends quelqu'un qui siffle un chien.

Je vais dans la direction. Je tombe sur un type qui sort du brouillard. Il a l'air épaté de me trouver là. Je lui demande si c'est les Chauvettes ici. Il me dit non. Où sont-elles ? Il ne sait pas. Est-ce qu'il en est ? Non, il est de Linganières. Où est-ce qu'il va ? Ben, il y va. Ça m'épate. Linganières doit être, à mon avis, loin sur ma gauche et il marche sur ma droite. Je le lui dis. Ça n'a pas l'air de l'étonner. Je lui dis que je suis perdu. Il me répond que lui aussi. Là-dessus nous bourrons nos pipes. Est-ce qu'il sifflait un chien tout à l'heure ? Il sifflait mais pas un chien. Quoi donc ? Rien donc. Eh ! bien, au revoir. Où est-ce que tu vas ? Je descends. Bonne rentrée. Toi aussi.

J'ai oublié de lui donner un coup de gnole. C'est qu'en réalité il ne fait pas très froid, juste assez, et la balade est agréable. Il y a vraiment trop longtemps que je me calfeutre dans mon alcôve pour n'être pas tout près de gambiller, où que ce soit et dans n'importe quelle direction. Je me fous de la commission de M. Edmond comme de ma première chaussette. C'est bien comme ça que j'ai toujours eu l'intention de le prendre. Ce qui fait mon affaire, ce sont ces coups de lumière grise qui passent à travers la brume et font comme des phares d'auto sur un hêtre, un sapin, un mélèze, ou sur la simple croûte de la neige qui se met à avoir brusquement cent couleurs mélangées, comme une coquille de mer. Je respire tellement fort que je me demande si on n'arriverait pas (avec l'habitude, évidemment) à se noyer dans de l'air comme on se noie dans l'eau, et profiter du procédé classique qui est, paraît-il, après un bon coup dans les oreilles, un défilé de tous les souvenirs, de toutes les inventions qu'on a eus au fil des jours dans la tête, mais propres, rupins et vernis maison.

J'en suis là quand je me demande brusquement si le petit truc noir que je viens de voir négligemment du coin de l'œil sur ma gauche n'est pas la façade d'une cabane en bois. C'est bien ça et même il y a du monde. Je dis « holà ! » On me répond. J'entre. C'est un type qui est en train d'allumer du feu dans un âtre. On se dit tout ce qu'on a à se dire. Le feu flambe. C'est un très bon moment, paisible. Ça vaut le coup de bourrer une pipe comme il faut, cette fois, en tassant le tabac avec le pouce. Et qu'est-ce que je fais, moi, dans ces parages ? Je descends. Et qu'est-ce qu'il fait, lui, au même endroit ? Il est venu voir sa cabane. Il languissait. Il est monté un pas après l'autre, n'ayant rien de mieux à faire. Et ici qu'est-ce qu'il fait ? Rien. Est-ce qu'il redescend ? Oui ; il prend un air de feu et il redescend. Ça fait mon affaire. Il redescend où ? Chez lui. Qu'est-ce que c'est, chez lui ? Sa ferme. Mais quelle ? Les Poulinières. Ça ne me dit rien. Je vais à la route de Pont-de-l'Étoile ; est-ce que je suis dans la bonne direction ? Oui et non. Oh ! ça c'est parfait. Prenons le bon temps comme il vient.

Il m'explique à propos de Pont-de-l'Étoile. Si c'était lui, après les Poulinières, il prendrait carrément à gauche et il irait rejoindre la trace du facteur. Je vais certainement faire comme si j'étais lui.

Qu'est-ce que je pense des événements? Je lui demande lesquels? Est-ce que je lis les journaux? Non. Je lui raconte un peu ma vie au moulin en deux mots. Il connaît M. Edmond. A son avis c'est un brave homme; au mien aussi. Voilà déjà quelque chose sur quoi on est d'accord. Mais il s'étonne que je ne lise pas les journaux. Et la radio, est-ce que je l'écoute? Oui. Je lui dis comment je l'écoute et quoi en particulier. Ça l'étonne aussi. Je lui dis que moi je suis un petit; que par conséquent ça ne me sert guère d'avoir mon opinion sur les événements. Je me débrouille au jour le jour. Voilà ma méthode. Il hoche la tête et il trouve que ce n'est pas du tout une façon de faire. Pourquoi? Qu'est-ce qu'il y a d'extraordinaire actuellement? Des tas de choses. L'Indochine. Il y a une affiche pour les engagements à la gendarmerie de Pont. Et la Russie, qu'est-ce que j'en pense? Est-ce que je suis communiste? Enfin, quoi, s'il y a la guerre, je suis dessous comme tout le monde. Ça sert à quoi de ne pas vouloir prévoir? Les choses se font un peu chaque jour. Il faut s'en mêler. Il y a eu hier un conseil des ministres *extraordinaire*. Au fond, il a raison. Je ne me tiens au courant de rien, mais j'ai tort. Je lui dis que, moi, pour une chose comme pour l'autre, j'essaie de passer au travers le plus longtemps possible. Au fond, ce que je dis là est bête comme chou. Je lui demande quelques tuyaux et il m'en donne.

Ensuite, nous partons dans le brouillard qui s'est épaissi. Le fond de la vallée est de plus en plus bleu marine.

Il voudrait me faire entrer chez lui mais je lui demande l'heure et je trouve qu'il est temps de prendre mon itinéraire par les cornes. Je marche une heure à l'aveuglette et je trouve la piste du facteur dans laquelle je m'engage.

Elle me mène au bout d'un temps à des maisons autour desquelles je tourne pendant que les chiens aboient. Je reprends la piste mais je me trompe. Je suis en train de suivre celle qui mène à une sorte de citerne et qui, là, s'arrête. Il me faut retourner aux abords des maisons, faire de nouveau aboyer les chiens. Une femme vient au seuil de la porte, s'abrite les yeux sous la main, me regarde, rentre et referme. C'est au plus fort du concert des chiens : un noir qui a l'air sournois, presque gros comme un âne, s'avance vers moi pas à pas, les oreilles droites, sans gronder. Je n'aime pas ça. Je recule sans le perdre de l'œil et il continue à avancer. Il me reconduit de cette façon jusqu'à la lisière des hêtraies où je m'engage pendant qu'il s'arrête et renifle soigneusement l'empreinte de mes pas. La confiance règne. Mais je trouve que, chien et femme, ils ont raison. C'est comme ça qu'il faut faire.

Je retombe sur la piste du facteur sans le faire exprès. Je suis peinard, pendant sûrement plus d'une heure, descendant de plus en plus fort, vite et bien, pénétrant profondément dans le bleu marine de la vallée. Je me dirige avec les yeux de la foi. Tout est d'un noir très calme. Mon uskide (j'ai mis naturellement mes bottes) ne glisse pas mais craque dans la neige. C'est le seul bruit, avec, quand je m'arrête, un très léger vent de velours que je ne sens même pas sur mes joues cartonnées de froid, tellement il est comme un souffle, mais il fait cliqueter le verre du gel sur les branches des hêtres. De temps en temps, le fond de la vallée (qui ne doit plus être très loin) pousse un soupir grave et profond. Il est probablement dans les onze heures du matin.

Je me promène dans une plaque photographique : les arbres sont blancs et le jour noir. On est vraiment très intéressé par tout ce qui n'est pas naturel. Si tout était d'aplomb, arbres noirs et ciel clair, je ne prendrais pas le même plaisir. Dans le contraire des choses, la curiosité devient gourmande. Là c'est vrai : qui a bu boira. Je n'en finis pas d'avoir envie de voir plus.

J'ai la piste du facteur exactement sous les pieds ; je ne la quitte pas d'une semelle. Je n'ai pas à m'en faire. Je casse la croûte avec une saucisse et un quignon de pain. Je bois un coup de gnole. Pour si curieux que ce soit, j'arrive à un endroit où, malgré le noir d'encre, je vois fort bien devant moi. Je pense alors que je suis dessous le banc de brume et, en effet, j'aperçois le fond de la vallée dans son obscurité à quelques centaines de mètres plus bas.

Je traverse le torrent. Une demi-heure après, je sens l'odeur des feux de Pont-de-l'Étoile. Je me tiens sur ma droite, j'évite l'agglomération. Il est environ deux heures de l'après-midi quand je reconnais le bois de chênes. Le chemin qui va chez le type maigre est tout de suite à l'orée nord. Il est d'ailleurs marqué de traces fraîches. Mais je marche èncore vingt minutes avant de voir la maison.

Pas de chien. Une lampe dans une fenêtre. La neige

n'a pu rester sur les pentes à pic des schistes. Elles sont, au milieu du blanc, lisses et noires comme des ardoises. C'est un tas de cartes de faire-part pour décès. J'ai l'air fin, moi, avec mes deux cent mille balles dans un endroit pareil. Et quand je les aurai données, qui aura l'air fin dans ce deuil de première classe ? Il y a quelque chose qui ne tourne pas rond. Je m'approche de la porte avec une forte envie de rigoler.

Je frappe. Une petite bonne femme m'ouvre. Elle est blanche comme un navet, enceinte et chargée d'un enfant d'un an dans les bras. Son mari n'est pas là. Elle a l'œil d'un bleu que je n'avais jamais vu si clair. Vous venez pour quoi? C'est particulier. C'est peut-être pour l'essence de lavande? Non. Non. Entrez tout de même, ne vous gelez pas. Un grand poêle tient tout le milieu de la pièce. Près du poêle, un enfant de deux ans sur une chaise haute. Près du poêle, un vieux fauteuil crapaud qui en a vu de dures. C'est pourquoi, au juste, que vous venez? Oh! une petite affaire. Près du poêle, par terre, une couverture sur laquelle un enfant de trois ans joue avec des bobines. Vous êtes de Pont-Neuf? Non. Non. Je lui dis d'où je suis. Près du poêle une table et derrière la table, dépassant la tête, un enfant de quatre ans (sans doute) qui me regarde. Est-ce que votre mari va revenir? Oui, il n'est pas allé loin. Il est allé faire trois pas, voir s'il a gelé dans le silo. Si vous voulez, je l'appelle. Oui, je ne voudrais pas rester trop tard ; il fait mauvais. Elle va au seuil et crie. On dirait une chèvre. Tous les enfants ont de grosses têtes et les yeux de la mère. Comme ils n'ont pas encore eu le temps d'apprendre grand-chose, ils montrent crûment ce qu'elle doit avoir elle-même à certains moments dans le regard : la peur, la méchanceté, le ravissement de sucer son pouce. Elle me fait asseoir. Nous parlons. Mais c'est son œil si clair (et qui m'étonne) qui fait la conversation la plus intéressante. Quand il a fini de se demander qui je suis, d'où je viens, qu'est-ce que je viens faire, il s'occupe très vivement de choses plus intimes à quoi une femme dans sa position ne devrait plus penser.

Arrive le type maigre. Nous réglons l'affaire en cinq sec. Ça n'accroche qu'au moment où il veut à toute force me faire boire un coup. Pendant que la femme farfouille dans une étagère de verres je bats en retraite vers la porte. Je n'ai pas envie de boire et il faudrait une autre sorte de bleu pour que je prenne sur moi de passer outre. Il m'a donné un petit paquet en échange du mien. Nous sommes quittes. Bonsoir.

Dehors, c'est entre chien et loup, mais ça me paraît être le paradis terrestre. Je marche pendant une heure avec une vigueur aussi *extraordinaire* que le fameux conseil des ministres du zèbre de ce matin.

J'arrive à Pont à la nuit et je vais à l'auberge. J'en ai ma claque. S'il me fallait remonter ce soir, je serais frais! Je m'offre un punch d'honneur.

La jeunesse dorée de l'endroit est en train de jouer au baby-foot. Elle fait un boucan de tous les diables. Je vais fumer une pipe debout au-dessus d'une partie de belote. Ça n'a, bien entendu, qu'un rapport lointain avec notre *Catherine*, mais ça en a un petit fumet malgré tout. Sans la route presque nationale qui traverse le village, sans le chasse-neige qui y passe, ils en seraient où nous en sommes. Une route ouverte met beaucoup d'eau dans toutes sortes de vins.

Je meurs d'envie d'aller me chauffer les fesses au fourneau de la cuisine. Il est rare que je puisse rester peinard et bien assis dans n'importe quel bistrot qui fait auberge. Même quand je suis fatigué, comme maintenant, il faut que je déambule. Je vais suivre une partie de cartes, ou de dames, ou faire un brin de causette avec les vieux qui font le cercle autour du poêle rond. Mais, mon but final, c'est la cuisine, le grand fourneau sur lequel il y a des plats en préparation et des odeurs. Je suis sensible au fait qu'une femme, généralement costaud et avertie est en train de fricoter pendant que je me chauffe les fesses. A mon avis, c'est là l'humanité.

Je fais donc mon trafic ordinaire bien qu'il y ait ici, sur une table en marbre, des plantes vertes en pots : ce qui indique toujours un certain grade dans les gargotes. Et je me tire peu à peu du côté de la cuisine. Je suis extrêmement malin pour choisir mon coup quand il s'agit de mon bien-être. En un rien de temps j'arrive, le plus normalement du monde, à l'endroit de mes rêves. Je m'attendais à un fourneau plus pépère en raison des plantes vertes. J'avais déjà remarqué, avec les joueurs de belote, que c'est un village de gens qui ont tout à la langue. D'ailleurs, j'ai beau faire à la patronne tout un tas de salades qui d'ordinaire plaisent aux ménagères, je me fais vider en cinq minutes.

Je m'installe alors du côté « restaurant » et je commence à faire le foin qui impressionne. Ça ne rate pas. On me considère et on prend la commande avec toutes les marques extérieures du respect. Je fais, somme toute, un repas convenable, complété par un grand plat de châtaignes que j'arrose avec un litre ou deux de piquette très agréable. J'ai retenu une chambre. Mais, puisque je suis dans le monde, tant vaut que j'en profite et je reviens côté bistrot pour passer la veillée. Il faut croire qu'à Pont on a de la distraction dans les familles. Je suis seul à me tourner les pouces auprès du poêle qui ronfle. Vers les neuf heures, la bonne vient me tenir compagnie. Elle reprise une paire de chaussettes. Nous aussi, nous faisons famille en diable.

Je fais à cette jeune personne les petites avances ordinaires pour être dans la normale. En me méfiant de ne pas trop en mettre. Je sais ce que les femmes arrivent à déclencher avec un mot après l'autre. Il ne s'agit que d'être Monsieur-tout-le-monde. C'est le meilleur moyen pour qu'on vous foute la paix. Ça rend juste ce que j'espérais. Elle frétille, elle roucoule, mais elle me déclare tout de suite qu'elle serait plutôt « politique ». Qu'est-ce qu'elle entend par ça ? Qu'elle est ravie de voter et qu'elle prend son rôle au sérieux. Je suis tout à fait de son avis. Qu'est-ce que je pense de tous les *coups montés* qu'il y a de par le monde ? Ah ! C'est en effet un sujet capital. Je traite ça avec beaucoup de bruit dans ma barbe. Mais, quels sont plus particulièrement les *coups montés* qui l'inquiètent ? Comment ? Qu'est-ce que je dis ? Et d'où je tombe ? Il y a cette institutrice russe qui s'est jetée d'une fenêtre à New York ! Si ce n'est pas un coup monté, qu'est-ce qu'il me faut ? Je lui assure qu'en effet celui-là me suffit. Or, il n'est pas le seul, et elle me fait un tableau général de la situation des forces antagonistes dans le monde (*sic*). J'avoue que j'en suis baba!

Je ne suis pas du tout détaché de la question. Je ne traite pas ces choses-là à la légère. Je serais plutôt tenté de m'en occuper moi aussi. Mais c'est le diable pour se tenir au courant. Je me dis que j'ai trop négligé le journal. Au fond, nos histoires, la musique nègre de Mme Edmond que je vais écouter au bas de l'escalier, ça ne prend de l'importance que parce que nous ne tenons pas assez compte de ce qui se passe à New York. Je parle pour moi. C'est bien plus commode de se passionner pour des choses qui ne vous touchent que si on le veut bien. Égoïstement parlant. On est débarrassé du souci de celles qui vous touchent qu'on le veuille ou non. Du moins, j'imagine. Si on arrive à digérer machinalement les petites saloperies de la portée de la main en se passionnant pour *les forces antagonistes*, on doit jouir comme à la *Catherine*. Et puis enfin, on le doit.

Nous passons vraiment une très bonne soirée, elle et moi. Elle m'apprend des tas de choses. Elle est au courant de toutes les combinaisons des nouvelles du monde ; elle en fait son beurre. Puis elle me prête un journal de cinéma. Je lis deux ou trois histoires. Après ça, je vais me coucher.

Le lendemain, je crois faire un effort considérable en me levant de fort bonne heure et, quand je descends prendre le café je m'aperçois qu'il est presque dix heures. Le lit était bon mais aussi le temps est si lourd qu'on n'y voit pas la moitié de ses misères. Je renâcle à l'idée de m'enfiler la piste du facteur à l'envers. Je me mets tout bonnement à suivre la route. C'est plus long que ce que je supposais. Je n'en finis plus. Je suis obligé de marcher sur les bas-côtés, et même à petits pas, tant c'est glacé et glissant. Je risque à chaque instant de me casser la gueule. Quand je regrette de ne pas avoir pris la piste du facteur il est trop tard pour revenir en arrière. Total, je m'éreinte tout le jour et j'arrive au moulin sur le soir dans un tel état que Mme Edmond n'a aucune peine à croire à ma bonne amie. (En imagination, dans ces choses-là, on voit toujours gros.) Je me suis mis, paraît-il, dans un bel état!

Le patron descend. Je lui remets son paquet. Il passera un bon Noël. Moi aussi. Je le passe très bien dans mon alcôve. Je me suis fait descendre une boîte de Voltigeurs par le fils Chauvin avec lequel on est très bien depuis le feu de cheminée. Je fume deux cigares, la veille au soir, et trois le jour de la fête, sans démarrer du coin de mon feu. Il fait très froid ; par conséquent, clair. Pour la première fois depuis l'hiver je vois tous les sommets au-dessus de nous. Ce sont des dents de scie très mordantes. Le vent fait flotter autour des pics de longues banderoles de poussières de neige. Le fond de la vallée reste embrumé. Ici, quoique sans soleil, il y a une lumière éclatante. Rien ne bouge. On ne voit personne. A la tombée de la nuit, un pas rapide sonne sur le chemin gelé.

Quelques jours après, un soir, je suis en train de fumer ma pipe. Tout à l'heure, je casserai la croûte puis je me fourrerai au pieu. Le temps est redevenu mauvais, mais c'est l'ordinaire, et nous y sommes habitués. J'entends qu'on m'appelle dehors. Je vais voir qui c'est. Entrent, dès que j'ouvre, un vent du diable et un bon paquet de glaçons pointus. Je suis un moment avant de me rendre compte qu'il y a là aussi la mère Machin du bistrot, et dans quel état! J'entends qu'elle parle, mais elle n'a plus figure humaine, et ce qu'elle dit non plus. Je la tire à l'abri sans bien savoir ce qu'il faut faire, ou ce qu'elle veut, ou si elle est folle. Elle est trempée comme une soupe. Brusquement je comprends qu'elle me parle de l'artiste, et qu'il est mort, qu'ils l'ont tué.

Je la secoue. Qu'est-ce qu'il y a? Et, ma parole, je gueule. Mais je me rends compte qu'elle a dévalé toute la pente de glace dans la bourrasque depuis là-haut et qu'elle n'est plus rien pour le moment. Il faut qu'elle respire d'abord. Or, elle ne veut pas. Je comprends qu'il faut monter tout de suite et nous partons.

Elle a bien dit qu'il est mort, mais cela ne signifie rien ; je ne peux pas tirer un mot de cette nouvelle, ni d'elle, qui en fait tant qu'elle peut pour me suivre.

Je m'attends à le trouver couché dans la sciure. Quand j'ouvre la porte du bistrot, c'est là que je le cherche. Il n'y est pas. Il n'y a même personne ; que la lampe. La mère Machin me fait signe. Nous traversons la cuisine. Il est dans la souillarde derrière ; étendu. Sur le moment, j'ai un coup de colère ; je crois qu'ils l'ont saigné dans un pot de chambre. Mais non, c'est un pot avec de la vraie contre lequel il est tombé, ou contre lequel ils l'ont jeté, et que j'envoie balader d'un coup de pied. Ça fait gémir la mère Machin.

Il n'est qu'un sang. Massacré de telle façon que je croyais qu'il était face contre terre. Mais quand je le touche pour l'emporter, je sens qu'il n'est pas mort.

Heureusement que je m'en aperçois d'abord avant de voir son œil (un seul) ouvert et fixe dans ce que je croyais être sa nuque, et qui est son visage emplâtré de sang caillé.

Nous l'emportons dans la cuisine et je le lave, ou tout au moins j'essaie. On ne sait pas par où commencer. Le sang s'était gelé sur lui en grosses plaques. L'eau chaude le dégèle et rouvre des quantités de trous. Nous ne savons plus que faire de tout ce sang. Il aurait peut-être mieux valu le laisser geler. Cette fois, ils l'ont eu. La mère Machin a repris haleine. Je lui demande qui a fait ça. Elle me répond que, pour l'amour de Dieu, je ne m'en mêle pas. C'est mon affaire. Non : ils ont dit qu'ils reviendraient pour le sécher définitivement si ça ne suffisait pas. Je voudrais bien voir ça. Je fouille l'artiste. Je trouve le couteau à cran d'arrêt. Il n'a même pas été ouvert. Il n'a peut-être pas eu le temps. Mais c'est bien (et au fond je sais qu'il n'a même pas essayé de le prendre). Moi, en tout cas, je l'empoche, et bien décidé à y faire appel s'il le faut. C'est un désastre. Ce qui apparaît sous mon chiffon (que je manie très délicatement) c'est un désastre. J'emporte des lambeaux de joues et des bouts de nez. Ils lui ont écrasé la tête à coups de talon comme ils font aux taupes. Mais, de plus en plus, je suis certain qu'il est vivant. Enfin, il se décide à l'être : il respire.

Il ne faut pas en demander plus. Certes, il ne revient pas de là où il est pour le moment. Mais il respire. J'essaie de faire passer de la gnole entre ses dents. J'y arrive finalement et il geint, puis il frissonne tellement fort qu'il risque de m'échapper des bras. Mais je le rattrape et le tiens ferme.

— C'est arrivé quand?
— Je ne sais pas.
— Ça s'est passé comment?
— Je ne sais pas. Ça n'est pas arrivé ici.
— Comment il est venu là?
— Ils l'ont porté.
— Qui?
— Ils étaient trois.
— Tu les connais?
— Oui.

J'ai fini de passer l'inspection à sa tête. Elle est dans un triste état. Il portera les marques toute sa vie car il ne va pas mourir. Je ne suis pas médecin mais je le sais.

— J'ai entendu tripoter le loquet. Je me suis levée. Ils l'avaient ficelé sur une luge. Ils l'ont porté à travers le jardin. C'est plein de sang sur la neige. Ils l'ont jeté là-dedans. J'ai ouvert les volets. Ils ne se sont pas cachés. Ils m'ont parlé en face. Ils m'ont dit : « Ne t'en mêle pas. Laisse-le mourir. De toute façon, il y passera. Si jamais tu t'en occupes, nous reprendrons ça au commencement. »

— C'était qui?

Elle ne répond pas ; je m'en fous. Je sais. Ils n'ont même pas de nom, à vrai dire.

Il n'est pas blessé à la poitrine ni au ventre, sauf un coup de pied qu'il a reçu dans les couilles. C'est comme ça qu'on l'a descendu d'abord ; après, ils ont fini à leur aise.

— Ils ont passé l'après-midi chez toi?

— Non, il y a deux jours qu'il est parti. Ils ont commencé pour Noël. Depuis ça dure. Tantôt un jour, tantôt deux. Il a découché trois nuits de file. Il ne s'est pas saoulé, ça je te le jure. Pas une fois. Il était comme toi et moi. Les autres ont commencé la veille de Noël et depuis, ils ont remis chaque jour sur la même cuite. Ils n'ont presque pas bu chez moi. Je les ai vus en passant. Ils venaient le chercher. Ils insistaient. Ils criaient dans l'escalier comme s'il y avait le feu quelque part. On ne peut pas dire qu'il a refusé, ça non! La vérité, c'est qu'il ne s'est jamais fait prier, mais moi, je le connais un peu. Il ne disait rien. Mais, veux-tu que je te dise? Il allait avec eux comme un grand frère.

Je la regarde un peu épaté :

— Qu'est-ce que tu racontes : grand frère!

— Quoi? dit-elle. Et alors, tu ne sais pas ce que c'est? Tu crois qu'il s'agit de te mener par la main chez les bonnes sœurs? On peut être l'aîné en beaucoup de choses, tu sais! Les vertes et les pas mûres, c'est très utile aussi. Pourquoi un grand frère ne te mènerait pas au bouc? Et sans malice. Même si ça l'emmerde. Ce qui avait l'air d'être le cas. Grand : ça veut tout dire.

Je lui dis doucement :

— Boucle-la, boucle-la un peu s'il te plaît.

Je continue à passer l'inspection. J'arrive à un endroit où ils ont fait un ravage inouï. Ce sont les mains. Elles sont écrasées. On les a comme tournées et retournées sous un marteau. Il ne pourra jamais plus se servir de ses mains. Ça aussi, sans être docteur je le sais.

J'empaquette tout ça dans des serviettes trempées d'alcool. La douleur agit sur l'artiste. Il manifeste.

D'abord il a fermé cet œil qui était resté ouvert pendant plus d'une heure dans la souillarde. Maintenant il a desserré les dents, les lèvres sèches il geint.

« Il faut l'enlever d'ici », dit la mère Machin. C'est mon avis. J'attends seulement qu'il reprenne un peu plus. Je m'enfile un verre de gnole fin plein qui me glace de la tête aux pieds et me retourne comme un gant. « Pique-moi un peu ton feu qu'on réagisse. — Il me semble qu'on a déjà pas mal réagi. — On n'a pas fait grand-chose. C'est lui qui doit tout faire, si possible. — Il est trop bien parti pour qu'il s'arrête », dit la mère Machin. Malgré ce que je sais (qui est l'essentiel, somme toute) je fais vaguement allusion au docteur. « Il ne faut pas y penser, dit-elle. — Et pourquoi pas ? Il est bien venu dernièrement pour la femme en couches. — Parce qu'il s'agit d'autre chose que de couches. — Est-ce que c'est la première fois qu'on se tabasse dans le pays ? Ils sont quoi ici ? Des anges du Seigneur ? »

Je ne crois peut-être pas si bien dire. Ils ont l'argent : beaucoup de choses en dépendent. Monter ici avec l'auto, par un temps pareil, quand on est docteur, qu'on vous fournit tous les prétextes contre, y compris la raison raisonnante. Il ne s'en mêlera pas. Mais non, elle a mieux que ça à dire, et elle va me mettre les points sur les I, puisque j'ai parlé d'anges du Seigneur. Elle tient le bistrot depuis quarante ans. Et, avant elle, c'était sa mère. Elle sait qu'il faut hurler avec les loups. Et elle me demande ce que je crois qu'on fait d'autre. Il y a ici certaines choses qu'il ne faut pas toucher sous peine de mort.

— Et c'est quoi?
— La croyance.
— Quoi? Le bon Dieu?
— Non. La croyance en soi.

Je suis un peu démonté et je comprends ce qu'elle veut dire, mais j'explique que moi et l'artiste nous avons aussi un tout petit peu besoin de croire en nous, et que c'est exactement le boulot que nous faisons avec les moyens du bord. Que, d'autre part, les fameux anges du Seigneur ne se faisaient pas faute de provoquer le jeu et de la mettre en péril, cette croyance (puisqu'elle ne s'affirme que de cette façon). Je dis : « Une main pleine de rois est une main pleine de rois, il n'y a qu'à s'incliner, si on part de ce principe que c'est la mesure. » (Et c'est bien, me semble-t-il, ce qu'on a fait.)

— Précisément, dit-elle, il avait un peu trop souvent la main pleine de rois. Les cartes étaient un peu trop obéissantes.

Je lui fais remarquer bêtement que c'est une question de don, sans parler de la gymnastique accessoire. Corriger le hasard n'est pas à la portée du premier venu.

— Se faire corriger non plus, dit-elle.

A ce moment-là, je m'aperçois que l'artiste a les deux yeux ouverts ; qu'il nous regarde et que probablement il nous écoute.

Je me penche sur lui et je lui raconte les petites couillonnades qu'on dit aux enfants et aux blessés. Il essaye de me répondre, et sans doute pour m'engueuler, si j'en juge à son regard. Mais il faut passer tout de suite à quelque chose de plus urgent. Qu'est-ce qu'on fout ici à discuter le coup ? En avant ! Je l'emmène. Comment ? C'est le moindre de mes soucis. Il pèse soixante kilos.

Je le charge sur mes épaules et je file. Je suis à ce moment-là, dois-je le dire, assez content. Je suis même très content. La bourrasque ne s'est pas calmée mais je m'en fiche. Je l'emmène chez moi. Et puis de là, on verra.

Au moulin, je le couche dans mon lit. Je m'aperçois pour la première fois que mon alcôve n'est pas tout à fait à l'abri de l'air. Il en vient un petit courant du côté de la porte. Je fais le nécessaire à ce sujet, quoique en réalité je n'aie pas l'intention de moisir ici. Puis je garnis les poêles qui en avaient rudement besoin.

Je monte réveiller M. Edmond. En arrivant au premier, je vois à la grosse horloge qu'il est deux heures du matin. Mais ça ne signifie absolument rien du tout. Ni le couloir bien propre où est la chambre des patrons. Je tape à la porte et je parle. Je dois avoir une poigne et une voix tout à fait au poil. En un rien de temps le patron est dans le couloir, tout ahuri, et il se demande de quoi il s'agit. J'ai idée que je ne suis pas avare en fait d'explications, et voilà Mme Edmond qui s'amène en chemise de nuit. Ces deux patrons en bannière dans le couloir et serrant les fesses, car il ne fait pas chaud, c'est assez rigolo. Mais de ça aussi je m'en fous. Depuis un petit moment je sais que l'artiste n'a pas une chance sur mille de s'en tirer (enfin, de s'en tirer comme je l'entends) s'il reste ici. Je ne parle pas des blessures. Des blessures, il s'en tirera à sa façon ; il a déjà commencé. Je parle d'autre chose : de ce que j'ai compris pendant que je le descendais ici sur mon épaule. Si quelqu'un vous trompe et vous dupe, il est de ce fait votre maître pour toujours. Il ne vous reste plus qu'à l'aimer ou à le tuer. Vous n'avez que ce choix, mais pas du tout celui de vivre après comme avant. C'est juste ou faux, je m'en fiche. C'est ce que je sens et ce que je pense.

Ce n'est naturellement pas du tout ça que je raconte aux Edmond. Ils m'ont fait entrer dans leur chambre qui sent une autre sorte de vie. Tous les goûts sont dans la nature. Je casse le morceau sans m'embarrasser de fioritures, en regardant M. Edmond bien en face. J'aime toujours procéder par allusions voilées. Je lui dis qu'il faut qu'il s'habille, qu'il sorte la camionnette. J'en ai besoin. Il a de la peine à reprendre son souffle. Il n'est pas l'homme de deux heures du matin. Par contre la dame est dans son élément. Je prévois qu'il va y avoir de la tablature. Je n'ai pas le temps d'être poli. Je fonce droit sur elle. J'ai assez entendu de leurs disputes pour donner l'illusion que j'en sais long.

D'ailleurs, c'est réglé comme un papier à musique. Pendant que je parle, M. Edmond s'habille comme si c'était tout naturel (et ça l'est dans la nature où l'on est).

La dame se recouche, et lui descend avec moi. J'ai eu le temps et l'esprit de faire un beau sourire de paix à la patronne. Et il est arrivé à son adresse.

L'artiste n'a pas bougé, mais il a les yeux ouverts et il respire fort comme quelqu'un qui s'est mis à l'ouvrage.

Qu'est-ce que je veux au juste? demande M. Edmond. Le sortir d'ici et sortir d'ici. Est-ce qu'il connaît un endroit où il y a un docteur? Il y a M. Martel à Pont.

Non, pas M. Martel à Pont, plus loin. Alors, il faut aller jusqu'à Sainte-Jeanne. C'est où? Dix kilomètres après Châteauneuf. Est-ce que c'est sur la grand-route? Oui. Alors, c'est parfait. C'est là qu'on va. Encore une question. Est-ce que c'est grand, ce patelin? C'est chef-lieu de canton : quinze cents habitants. Au poil. En avant! Voilà comme c'est combiné : je vais conduire, bien entendu, parce que la route est méchante en descendant. Mais il vient avec nous car il faudra retourner la voiture. Non, moi je ne reviendrai pas. Il me faudra rester avec ce type-là qui est mal arrangé, comme il peut le voir. Certes je regrette (et je suis sincère, du fond du cœur je suis sincère!), je regrette le moulin et vous, monsieur Edmond, vous êtes un chic type. Non, la question du type maigre je m'en fous, et tout le monde a plus ou moins un type maigre à ses trousses. Non, je l'ai fait avec plaisir; les chics types sont faits comme vous. Et même Mme Edmond est gentille. Il en convient. Il ne regrette pas trop d'avoir été réveillé en sursaut. Ça vaut le coup à n'importe quelle heure du jour et de la nuit de savoir qu'il y a au moins un être au monde (et peut-être plusieurs — c'est l'espoir!) qui vous considère comme un chic type.

Ah! Encore une question. Il y en a toujours en suspens. Est-ce qu'il connaît des gens à Sainte-Jeanne pour qu'il puisse un peu nous recommander? On est juste dans l'état d'avoir besoin de ça. Il dit oui et qu'on ne s'en fasse pas.

Il ne manquerait plus qu'un truc pour que je sois en plein malheur : ce serait que Mme Edmond se soit levée en douce et ait pensé à nous faire du café. Mais cette épreuve m'est épargnée, et j'ai plaisir à imaginer ce petit vinaigre en chemise de nuit qui roupille égoïstement là-haut avec ses fesses calées dans l'édredon pendant que nous fichons le camp.

On a mis les chaînes et, comme je conduis avec prudence, nous glissons sans l'ombre d'un pépin jusqu'au fond de la vallée, à travers les forêts endormies sous des monceaux de neige. Ça a l'air de se passer dans la planète Mars ; j'ai la tête vide. Je me dis qu'il sera temps de la remplir quand je serai de nouveau sur la terre.

Nous sommes à Sainte-Jeanne avant le jour, mais il y a déjà un bistrot éclairé et qui fonctionne. M. Edmond nous dit que c'est l'arrêt du car qui passe à six heures du matin. On a bien besoin de quelque chose de chaud. Je demande du punch. J'en porte un godet à mon artiste qui ne se fait pas prier et se l'enfile.

Question auberge, il faudrait s'en occuper tout de suite. On ne peut pas laisser le blessé dehors dans la voiture jusqu'au jour. Le type du bar se mêle à la conversation. Je lui en dis tout ce qu'il faut pour qu'il s'intéresse à nous, sans plus toutefois. Nous sommes dans la vallée, sur le chemin de la plaine ; les gens vont être de plus en plus curieux et de plus en plus bavards. Il faut faire gaffe. Je suis assez à la coule dans cette sorte de boulot.

Total, il nous donne un tuyau qui vaut son pesant d'or. Il y a ici une maison de petites sœurs. C'est debout à toute heure, des êtres comme ça. Je dis « minute » et j'y vais. C'est à deux pas.

En effet, j'entre sans discussion. C'est une vieille en cornette, avec les mains les plus blanches que j'aie jamais vues de ma vie. Ma barbe l'impressionne en bien ; et aussi tout ce que je sais faire pour me rendre mâle et viril. Je fais tout. Elle m'appelle aussitôt « mon petit ». Et je sais que c'est gagné.

Est-ce que le blessé peut payer ? Je réponds qu'il peut mais pas trop, parce que c'est moi qui paye. Est-ce que c'est un de mes parents ? Oui, c'est mon frère. Il s'est blessé comment ? Je m'excuse d'abord ; ensuite je raconte une histoire de jalousie qu'elle puisse comprendre. Sans prononcer le mot de femme, je gaze, et la chose lui vient tout naturellement à l'esprit. Elle est loin de pouvoir imaginer autre chose. C'est pour ça qu'elle s'est emboîté la tête dans sa cornette. J'oublie de dire qu'entre-temps elle m'a payé le café. Elle est terrestre jusqu'au bout des ongles. C'est épatant. Je m'endormirais.

Elle va voir la supérieure et voilà, en fin de compte, à quoi on arrive. Elles ont deux chambres pour les malades. La communauté est très petite, elles ne sont que six. Si je crois pouvoir payer trois cents francs par jour, elles prendront mon frère. Non seulement je crois, mais je suis sûr.

Je cavale au bistrot, je reprends M. Edmond et la voiture. Nous faisons le transbordement. La présence du patron qui fait bourgeois par habitude met beaucoup d'huile dans les rouages.

Mon artiste une fois installé avec trois femmes noires autour de lui, je raccompagne M. Edmond à la camionnette tout en bourrant une pipe. Je le remercie, et surtout je coupe les ponts. Je lui dis carrément de quoi il s'agit, et que les gros comme Nestor, Ovide, Ferréol, etc., sont dans le coup. Donc, motus ; il ne sait pas où nous sommes. Il a juste la pétoche qu'il faut ; il la bouclera. Il me dit même qu'il va rentrer avant le jour : ni vu ni connu. Il ne s'inquiète que des Chauvin. Ils ont peut-être entendu le moteur quand nous sommes partis. Je lui dis que, s'il réfléchit au type maigre, il a sans doute de quoi faire tenir les Chauvin tranquilles. Je lui raconte l'histoire de l'écurie ouverte où j'ai eu la conversation avec la charmante jeune fille. D'ailleurs, les Chauvin n'ont rien entendu sûrement.

Malgré le froid, la nuit et tout ce que je viens de dire, nous étirons un peu les adieux. Je lui fais des tas de recommandations pour les chaînes en remontant. Enfin, brusquement, il a sa peur pour compagne et il démarre. Je regarde disparaître son feu rouge. Je reste planté un moment là avec qui sait quel compagnon ? Est-ce que le jour finira par se lever aujourd'hui ?

On me permet de rester là pour le premier matin. Je m'endors sur un canapé du salon de réception. Une irrésistible odeur de soupe aux choux me réveille. Il fait grand jour. Je sais déjà que nous ne resterons pas ici. Je l'ai su en dormant et ce que je vois au réveil me le confirme. Dire ce que je vois n'intéresserait personne ; je ne vois rien d'inquiétant ; tout est astiqué, silencieux, paisible, sinon que ça ne colle en rien.

Courant de l'après-midi je cherche ce qu'il nous faut et je le trouve. C'est une mère Lantifle comme celles dont nous avons l'habitude. Elle a sa turne à la sortie du village, sur le chemin des bois. Question temperature, il faut dire qu'ici c'est le rêve. A peine s'il y a un doigt de neige sur les prés. Le village lui-même ou plutôt, pardon, la ville (car c'est comme ça qu'on dit ici, et j'ai tout lieu de faire semblant de le croire), la ville donc est autre chose que l'endroit d'où nous venons. Ici, c'est respectabilité et honneur sur toute la ligne. C'est bien ce que j'ai compris dans le parloir ce matin en me réveillant. C'est ce que, de pas en pas, je constate en cherchant ce qu'il nous faut. A un point que je désespère. Rien qu'à voir les façades on sait qu'on est dans un pays où tu ne fais rien de bon qu'à la sauvette et les yeux fermés. Tout le monde a installé son confessional pignon sur rue. Impossible de quitter son caleçon en dehors du lit conjugal et des droits de l'homme, avec des façades de cette netteté-là. C'est déjà inscrit comme au cimetière : bon père et bon époux, devant chaque porte à coups de balai. Des coups de balai que nous, que moi j'ai l'habitude, dans ces cas-là, de recevoir dans les fesses.

Je ne me fais pas faute de promener dans tout ça ma barbe frisée (et blonde), mes yeux d'innocence et le côté mâle et viril que j'ai inauguré avec de si bons résultats près de la petite sœur. Il faut bien donner un peu de distractions à toutes ces bourgeoises. Elles me reluquent et rentrent chez elles avec de quoi irriter leur dent creuse.

Je fais le patelin du haut en bas, en croix, et même en croix de Saint-André, sans oser mettre le nez dans la moindre embrasure de porte. Je sais ce qu'il y a derrière.

Enfin, à la sortie vers les bois, je tombe sur un caboulot qui me paraît convenable. Dès que j'entre, la mère Truc est tout à fait à mon goût. C'est la femme idéale pour soigner les blessures. Elle a de la moustache et un ventre qui fait des plis. J'adore ça. Elle parle et je suis aux anges. D'abord, elle n'est pas polie, mais alors, pas du tout. Et, ce qu'elle me raconte d'entrée est sûrement prohibé partout, même chez les singes. Elle a une façon de supputer mon poids et mes pectoraux qui me tire les larmes des yeux.

Dès que je me mets à table pour l'histoire du copain, elle entre en transes, c'est son boulot, je le savais. Cinq minutes, mignonne, et nous arrivons. Elle ne me cache pas que cinq minutes c'est trop. Et est-ce que j'en suis encore aux bonnes sœurs, me dit-elle en rugissant au moment où je décampe? Je suis déjà à cent mètres que je l'entends encore rigoler et s'expliquer avec sa batterie de cuisine.

Je n'ai qu'une peur : c'est qu'elle en fasse trop. Dans l'état où nous sommes il n'en faut ni trop ni pas assez. C'est ça le difficile. Les gens ne comprennent jamais. Il faut dire qu'en effet c'est toujours très compliqué.

Et ce que j'ai à faire chez les petites sœurs l'est aussi. Elles nous ont pris sous leurs bonnets. Elles nous ont aimés spontanément. Un blessé, un barbu blond aux larges épaules, à la démarche chaloupée, c'est du nanan malgré les cornettes, pour ces femmes qui vivent seules, *en économie fermée*, à la lisière des bois.

Dès que j'arrive, je suis chouchouté. Je constate aussi qu'elles ont fait un grand jeu extraordinaire à l'artiste.

Dès qu'il a ouvert les yeux dans ce jour nouveau de souffrance, elles ont fait voltiger au ras de son nez une multitude de cartes royales qu'il n'avait jamais vues. Il a perdu trop de sang pour ne pas en être baba. C'est ce qu'il est. J'ai envie de lui dire : « Tu vois que tu n'es pas le seul ! »

Mais je suis gentil : je fais joujou avec les circonstances. Je m'assois à la tête du lit. J'ai l'air de poser pour une gravure. Dès que je suis seul avec lui, je vais à l'essentiel. « Comment te sens-tu ? » Il dit : « Bien. » Ça ne signifie pas grand-chose.

Je vais discuter le coup avec les dames. Je sais qu'elles vont m'en faire voir de toutes les couleurs. Ça ne manque pas. La supérieure avec laquelle je parle est rondelette et ressemble pas mal à la mère Lantifle qui est en train de m'attendre. Propre dedans et dehors, bien entendu, mais poursuivant les mêmes buts, et presque par les mêmes moyens. Mesurées toutes les deux au vrai décimètre, elles n'ont pas un millimètre d'écart. Ce sont des mères de famille nombreuse.

Elle est sur le point de m'avoir. Elle en a même un petit bout. Elle me dit que mon frère est *intransportable*. Ce mot me ravit et je ne peux pas m'empêcher de rigoler, tellement je comprends qu'elle et moi nous parlons de porte à porte. Elle ignore ce qu'il y a chez moi et je ne sais pas comment c'est fait chez elle. Elle me demande pourquoi je souris. C'est que je pense à la façon dont j'ai transporté l'artiste, la nuit passée, du bistrot au moulin. Mais je lui raconte une histoire dans laquelle il est question de mon inquiétude, émotion, et de ce que j'ai mal dormi. Elle me fait apporter un grand bol de tilleul.

Le docteur est venu, a vu mon frère. Les blessures de la tête sont insignifiantes. Elles font un effet spectaculaire parce qu'elles avoisinent et intéressent le siège de la coquetterie (c'est elle qui parle) mais tout ça va assez vite s'arranger. Il n'en est pas de même des parties nobles (j'avoue que, lorsqu'elle parle des *parties nobles*, elle m'en fiche un bon coup). Ni surtout des blessures des mains. Ces dernières en particulier sont extrêmement graves. On ne sait pas s'il pourra encore s'en servir ; peut-être pour des usages simples, tout au plus. Il a de la fièvre, en outre.

Me voilà bien embêté. Elle a le don de mettre des bâtons dans les roues. Qu'est-ce que je décide ? (c'est moi qui me pose la question. Pour elle, il n'y a pas de question). Je ne sais pas. Elle ne m'apprend rien de nouveau sur *les parties nobles* et sur les mains. J'ai vu clair tout de suite. Et j'ajoute qu'il n'est plus du tout question de médecin dans cette affaire-là.

Elle me demande si mon frère est aux Assurances sociales. Ça, c'est le bouquet.

Enfin, je fais de toute cette histoire un pain mal coupé dont elle se cale les joues avec bon appétit. C'est l'essentiel pour le moment. Et je retourne à mon caboulot.

— Alors, me dit la dame, ce zèbre en pièces détachées, tu me l'amènes, oui ou non ?

Là aussi je discute à n'en plus finir, dans l'incompréhension mutuelle et totale. Mais ici je peux faire la forte gueule et, au bout d'un petit moment, ça rend.

Qu'est-ce qui se passerait si, par exemple, on laissait l'artiste en religion pendant, disons une semaine, et que moi je prenne pension ici de ce temps-là ?

— Il se passerait qu'elles vont te l'abrutir, me dit la dame. Remarque, poursuit-elle, que je ne prêche pas pour ma poche. Tu restes : j'ai la bonne part.

Question d'abrutir, reste à savoir si c'est si important que ça ? Et, au fond, est-ce que ça m'est désagréable ? Il faut bien qu'il commence à apprendre certaines choses, et le plus tôt c'est le mieux. Un peu de teinture de tournesol ne fera pas mal dans le tableau.

Je finis donc par être d'accord avec tout le monde. Brusquement, je pense qu'il y a quelque chose qui ne tourne pas rond, et de taille : est-ce qu'il y a des gendarmes ici ?

Oui.

Là-dessus, la nuit ; qui est venue.

Incapable de mettre sur pied quelque chose qui tienne debout. La mère Lantifle rôde autour de moi sans piper mot. Je me tiens comme il me plaît à côté de son fourneau, en train de me chauffer les fesses. L'endroit le plus succulent du monde. Vide et sans goût pour rien. Je suis tout entier là-bas dans la chambre de l'ordre et de la mesure avec mon artiste de désordre et de démesure, abandonné à la merci du premier venu. Je me représente cent fois la scène. La petite sœur des pauvres et le gendarme. La rencontre des autorités reconnues. Le mélange détonant dans quoi tout ce qui me tient à cœur va partir en bombe. Ils voudront savoir pourquoi il a les mains écrasées ; pourquoi les ayant il ne fait pas appel à la loi pour demander par exemple des dommages et intérêts.

J'ai une vague idée. J'interpelle la mère Lantifle. Est-ce qu'on aime la rigolade dans ce patelin ? Qu'est-ce que j'entends par rigolade ? Le péché, bien entendu. On l'aime comme partout. Est-ce qu'elle en connaît des cas ? Si elle disait ce qu'elle sait, ce que tout le monde sait mais ne dit pas, de beaux uns et de beaux unes chercheraient les trous de taupes pour se cacher. « Donc, dis-je, l'important ici c'est de ne rien dire ? — Ici comme partout, fiston », dit-elle. Elle s'étonne que je ne le sache pas, et moi en effet de ne pas y avoir pensé plus tôt.

Je mets ma belle casquette et je m'apprête à sortir. Ça la vexe et elle me dit qu'elle n'aime pas le lapin.

— C'est cependant ce que tu fais cuire.

— Oui ! dit-elle humblement, je me promettais un peu de rigolade, en tout bien tout honneur.

Je lui dis que j'en ai pour cinq minutes.

Je vais chez les sœurs. Je demande la supérieure. Elle arrive. J'attaque d'entrée. Son costume, sa qualité m'engagent à lui parler à cœur ouvert ; ce que je me reproche de ne pas avoir fait ce matin. Mais la réputation de trop de gens honorables est en jeu. Je veux la déposer entre ses mains (j'ai plusieurs façons de parler, et notamment de *me* parler. On ne s'en est pas encore aperçu parce que c'est un langage que j'emploie surtout au printemps et en été, quand je suis entouré de fleurs, de soleil, de bons vents, et que je veux attirer mon attention sur la chance que j'ai de vivre en cette compagnie. Je parle maintenant à Mme la Supérieure comme je parle alors aux êtres inanimés si charmants et aux nuages). Elle a le droit de connaître les circonstances dans lesquelles mon frère a été blessé de cette façon. Dois-je appeler les choses par leur nom (elle fait oui, gravement, de la tête). Alors voilà : il a conté fleurette à une dame mariée.

— Le démon, dit Mme la Supérieure.

J'approuve, et je poursuis. Une femme mariée qui a une très bonne situation. Je précise, je joue pendant un petit moment avec l'agréable sentiment de sécurité des gens en place qui suivent les évolutions des gens dehors. La supérieure est sûrement sensible au fait que, dans sa situation à elle, elle ne court plus ce risque. C'est au fond son cinéma. Je lui en donne une bonne séance jusqu'au moment où je peux dire l'essentiel. Si les gendarmes mettaient le nez dans cette affaire, Dieu sait dans quelle histoire cette pauvre femme serait! Le mot n'est pas tombé dans l'oreille d'un sourd.

— Dieu sait, dit-elle, et ne condamne pas. Il a depuis longtemps pardonné à la femme adultère.

J'ai mon idée sur la question, mais je n'en souffle pas mot. Le reste est du velours. A la fin de quoi, elle-même parle de secret *professionnel.* J'ai envie de me dresser au garde-à-vous et de faire le salut militaire. C'est parce que je blague quand je suis content. En tout cas, chapeau! La société a tout prévu dans certains cas.

Je vais voir l'artiste. Il dort. Je ne le réveille pas.

Je suppose que secret professionnel signifie quelque chose. Je suis surtout rassuré parce que j'ai mis en branle le système *secret* de protection automatique des sociétés. Je suis sûr que Mme la Supérieure la bouclera, et même que, le cas échéant, elle se servira du *pieux mensonge* (qui également n'a pas été fait pour les chiens). Elle sait qu'il ne faut pas toucher à la hache. A peine, peut-être pour son plaisir et son édification, est-elle en train de se demander où habite et comment s'appelle la pécheresse ? Peut-être même ne se demande-t-elle rien, parce que c'est une sainte authentique qui est à sa place dans ce poste avancé et exécute les ordres, service, service, sans chercher à comprendre ?

Avec la mère Lantifle non plus nous ne cherchons pas à comprendre, dans ce premier soir, cette nuit apaisée, moins noire maintenant, moins froide. Nous mangeons le civet de lapin (qui est sans doute du chat). Nous buvons notre litre chacun, puis encore un ; puis nous nous faisons du vin chaud et après, nous rebuvons un petit coup de vin froid. Puis, j'obtiens ce que je veux : c'est-à-dire qu'elle est saoule comme une grive, tellement écœurée qu'elle va se coucher sans demander son reste. Il faut toujours faire comprendre les choses aux gens, petit à petit. Je n'ai jamais été cassant avec personne.

Au réveil, l'idée gendarme me revient. J'ai cinq minutes de trouille, puis reprends conscience de tout le fourbi arabe qui nous protège. Je fais un petit inventaire. Je n'ai pas pensé à réclamer ma dernière quinzaine à M. Edmond et il a oublié de me la régler. J'ai dix-sept mille francs. J'ai eu beau fouiller l'artiste : peau de balle et balai de crin.

La mère Lantifle fait le café. Il y a aussi avec elle dans la cuisine un gars du bâtiment qui est en train de se chauffer les fesses au fourneau, exactement à la place que je prends partout d'habitude, et exactement dans ma position habituelle. Ça me le rend sympathique. Je me colle un peu à côté et nous taillons une bavette. J'aurais voulu avoir des nouvelles du pays, c'est-à-dire du vaste monde, mais il ne peut pas m'en donner. Il est d'ici et n'en est jamais sorti. Tout ce qu'il sait, c'est l'horaire des cars. A tout hasard nous en parlons. C'est un drôle de gars. Je le croyais maçon. Et qu'est-ce qu'il est? Il n'est rien. Ça, c'est bien. C'est la situation la plus épatante. Qu'est-ce qu'il fait alors toute la sainte journée? Il faut bien qu'il ait un peu de braise. Il fait les corvées. Et ça consiste? Cinquante mille choses : rentrer du bois, sortir du bois, fendre du bois, porter des colis, aller chercher des colis. Il m'explique qu'il lui faut des boulots qui finissent vite. Ce qu'il aime le plus, c'est se chauffer les fesses. Ma foi, je suis de son avis.

J'asticote la mère Machin pour avoir ma tasse de café.

— T'en connais des trucs, toi, dit-elle. Bien moi, j'en connais aussi.

Mais c'est pure galanterie, et elle me sert mon kahoua brûlant comme un diable. Je l'avale tel que. Ça la souffle. Je lui dis qu'elle a raté son coup, que je suis l'invalide à la tête de bois.

La porte s'ouvre et paraît un petit minus qui interpelle le gars.

— Dis donc, André, tu viens un peu?

— Qu'est-ce que c'est?

— Faudrait que tu m'aides à porter un lit-cage au car de huit heures.

— T'es pas assez bon pour le porter seul?

— Fais pas l'andouille. Tu voudrais pas que j'aie les roulettes marquées dans les reins ?

— Ça t'irait pas plus mal. Et pour qui que c'est le lit-cage ?

— Pour moi. Je l'envoie à ma fille.

— Elle s'est accouchée ?

— Sur le point. Ça craque. Faut que le Félix couche quelque part. Amène-toi.

— Ce qu'il faut faire de sa peau quand même ! Voilà que je sers aux accouchements à cette heure.

Il démarre du poêle et je prends sa place. Maintenant que nous sommes en famille, j'explique un peu mon truc d'hier soir à la mère Lantifie qui est une personne de sens.

— Tu es comme une chatte qui ne sait plus où planquer son chat, dit-elle.

C'est un peu ça. A son avis, primo, je me suis inquiété à tort, et ensuite j'ai fait malgré tout du bon boulot. Le docteur est un vieux ramolli qui s'intéresse aux rombières, qu'il lui faut jeunes, au surplus. Il se gardera bien de fourrer son nez où il ne faut pas. Quant aux sœurs, c'est réglo. Est-ce que j'ai déjà vu des sœurs qui ne soient pas réglo ? Je n'ai jamais beaucoup fréquenté ces sortes d'orphelinats. Elle me dit que, les gendarmes chez les bonnes sœurs, ça serait tout à fait comme des cheveux sur la soupe. On ne le pardonnerait pas. Est-ce que je sais au juste ce qu'ils font les gendarmes, ici comme ailleurs ? Je prétends que je m'en doute. Elle dit que je fais tort à mon jugement. Les gendarmes sont au croisement de la route et ils chassent les procès-verbaux. Ce qui les intéresse ce sont les autos. Tout ça me paraît frappé au coin du bon sens.

Autre question : au cas où nous resterions quelque temps ici, est-ce qu'il y aurait un boulot dans les parages pour ma pomme ?

— Pourquoi au cas ? dit-elle.

— Façon de parler.

— Tu es chez toi. Tu n'as pas à t'en faire.

La question n'est pas là. Je passe mon temps à faire admettre mes raisons aux autres. C'est un jeu de dupes. Argent mis à part, il faut que je m'occupe. Disons par exemple que c'est pour la santé : gymnastique suédoise, tiens ! Tu comprends ça ?

— Alors, écoute : tu vas aller chez Robertet, cuirs et peaux. Naturellement, en cette saison, tu ne trouveras nulle part un travail suivi, mais là, il y a peut-être quelque chose.

— Dans quel genre ?

— Je ne sais pas au juste, mais ça serait pour rouler des cuirs verts que ça ne m'étonnerait pas.

En réalité, c'est ça. Ce n'est pas du dernier folichon mais c'est sans concurrence. J'y reste deux jours, puis, ça pue vraiment un peu trop et j'abandonne. Parce que j'ai trouvé un autre petit boulot bien plus convenable, dans le garage de l'endroit.

C'était moche d'aller chez les sœurs en sortant des cuirs verts. L'artiste m'a dit : « C'est toi qui schlingues, ou c'est moi ? »

Je lui ai dit : « T'en fais pas, c'est moi. »

Mais j'ai fait une petite virée du côté du garage et j'ai trouvé une combine bien meilleure.

Je dis à la mère Lantifle : « Tu ne m'avais pas parlé du garagiste.

— Je n'y avais pas pensé. »

Elle y avait pensé mais, la vache!... les cuirs verts faisaient mieux son affaire. A cause de l'odeur elle m'avait mieux. Elle sait que je sais. Elle rit jaune dans sa barbe.

Le patron est tout seul. Et c'est un gars qui s'y entend. Même un peu trop. Sa passion, c'est d'aller tout le temps plein gaz. Les bricoles, il s'en tamponne. Il les expédie et fort bien parce qu'il a le don de la mécanique, mais rien ne l'intéresse que de monter dans sa guimbarde et de faire de la vitesse sur les routes qui sont comme des patinoires. Il a carrossé une Daimler avec des boîtes à savon et, pour avoir l'occasion de la sortir, il s'est intitulé taxi. Faut voir si ça barde. On sort les types de son outil à moitié évanouis. Il est tout le temps en train de bouffer des grains de café pour se maintenir au poil. Je lui dis : « Manquerait plus que vous ayez un petit quelque chose au cœur. »

Il me répond que j'ai tombé pile et que c'est exactement ce qu'il a. La vie est belle, somme toute!

Question régularité, je lui dis : « Tous les bordels qu'il faudrait que vous payiez au gouvernement pour ma pomme, assurances et tout le bazar, je vous en dispense. Vous n'avez qu'à dire que je suis votre cousin et que je vous donne un coup de main. On est bien en république, jusqu'à nouvel ordre? Personne n'a rien à voir là-dedans. Ça me fait un répondant : c'est d'une pierre deux coups. »

Je répare les vélos et les motos. Il n'y a pas tant que ça de bagnoles, à part la petite Simca d'une poule et d'un mec qui a l'air d'être sous sa coupe et qui n'entend que dal à la mécanique. Ils viennent trois fois par semaine pour se faire déboucher le gicleur ou redresser les phares qui biglent. Je leur demande sérieusement s'ils ne veulent pas aussi que je brosse les gentils petits coussins écossais. Ils sont tellement noix qu'ils me prennent au mot. Et je suis tellement noix que je m'exécute. A part ça, je ne vois pas grand-chose. Ou alors, on bosse à deux sur un camion. Et tous les jours le patron s'envole pour une paire d'heures. Il faut qu'il ait sa ration de coco-vitesse.

Enfin, tout ça, ça étale. Je ne cherche pas à trop me mélanger avec l'indigène. Je fais ce qu'il faut, mais je n'en remets pas. Par exemple, je fréquente le coiffeur pour de petites tailles de gentleman, quoique personnellement je préfère et de beaucoup garder mes poils à la Tolstoï. Enfin je nage. Et pas mal. La question galette est tout à fait arrangée.

Je paye chez les sœurs et chaque fois j'ajoute un petit quelque chose pour leur chapelle. Je suis organisé, quoi! L'artiste engraisse et il est gras comme un lard. Ça ne m'avait pas frappé parce que je le vois chaque jour, le matin et le soir. Je lui porte le journal et des Gauloises qu'il m'a d'abord jetées à la figure. Puis il s'y est fait. Le docteur a l'air d'être un sacré rigolo si j'en juge par le bouquin qu'il a apporté à l'artiste, histoire de le distraire : *L'Esprit des lois*. Peut-être qu'il n'avait que ça. Bien entendu, c'était laissé pour compte sur la table de nuit. J'ai sauté dessus. Je lis ça.

L'artiste tient sa cigarette avec les doigts qui dépassent de ses pansements. Et même, pour bien me montrer comment il va, il les agite. Je m'attendais à plus de casse. Je suis peut-être déçu. C'est difficile à dire. De toute façon, c'est marrant de voir les bonnes sœurs si fières de cette réussite. C'est le cas ou jamais de dire que les voies du Seigneur sont impénétrables. Je suis interloqué par tous mes sentiments contradictoires.

Le visage, à part quelques cicatrices profondes qui certes ne font pas bien dans le tableau, n'a pas changé. Le regard est toujours le même, mais je me demande comment seront vraiment les mains, à la fin? Et, selon comme elles seront, qu'est-ce qu'il y aura, en plus ou en moins, dans le regard?

Pour mettre ces choses-là au point, je prends prétexte de *L'Esprit des lois* et je vais rendre le livre au docteur. J'ai payé ses soins aux bonnes sœurs mais je tiens à le remercier personnellement et à marquer le coup. Est-ce qu'il serait amateur de ce lièvre-ci, par exemple? (que j'ai acheté au célèbre André qui le tenait je ne sais de qui). La mère Lantifle m'avait bien dit qu'il était porté sur la gueule comme sur le sexe, mais j'ai l'impression que j'ai mis dans le mille. Nous sommes tout de suite amis comme cochons et il me paye l'anis.

D'abord, *L'Esprit des lois*, c'est une blague. Je m'en doutais. Les bonnes sœurs le bassinaient pour qu'il apporte de la lecture au malade car le journal que j'ai laissé tous les matins était vivement escamoté. Il paraît que j'ai justement choisi le journal rouge. Je n'ai pas eu la main heureuse.

Il allume sa bouffarde et moi la mienne. Nous avons une conversation comme je les aime. Je lui dis que j'ai été en quelque sorte valet de chambre du docteur Ch. de Paris, un type qui s'occupait des mabouls ou des poules qui ne raisonnent pas plus haut que leur cul. Il me dit le mot (que je savais) un psychiatre. Je lui raconte comment le fameux docteur avait acheté un domaine dans les bois, près de Marseille, où il vivait à poil en toute saison. Un peu piqué, même beaucoup. Que j'en suis parti, parce que cette façon de comprendre la vie me pompait l'air.

C'est à propos de *L'Esprit des lois* qu'il s'étonne de me voir lire, et pour lui faire comprendre en douce (et admettre) que je connais aussi quelques autres personnages comme Balzac, que j'adore, et Alexandre Dumas, Victor Hugo, Lamartine, et même des modernes. Le docteur Ch. me passait des bouquins et même m'obligeait à les lire. Je suppose qu'il pensait ainsi faire des expériences intéressantes car il m'interrogeait sur eux, et il était visible comme le nez au milieu de la figure qu'il voulait se rendre compte si ces lectures avaient de l'importance, par la suite, dans ma manière de vivre. En quoi il se fourrait le doigt dans l'œil jusqu'au coude.

Mon type s'intéresse beaucoup à ce que je dis. Nous remettons ça sur l'anis. Il essaie en douce de me pousser un peu plus loin sur la question. Je le vois très bien venir avec ses gros pieds et je marche puisque ça lui fait plaisir. D'autant qu'à mon avis nous sommes, précisément, sur ce qui m'intéresse.

Je lui raconte comme quoi mon zèbre faisait recruter des poules à Marseille par son chauffeur (un beau gars). Il les voulait d'une certaine catégorie. Son gars était tchèque et costaud ; il touchait un peu à la peinture. Il lui avait loué un petit atelier qui donnait chez un tailleur pour dames. Celui-là palpait des bakchichs, bien entendu. Dès qu'il en voyait une propice, il lui faisait le grand jeu de l'art, de l'artiste, et il soulevait la portière : « Passez, madame » ; passez muscade. Le Tchèque se l'envoyait et nous l'envoyait. Chez nous, c'était pas méchant ; mon zèbre étudiait l'esprit de prostitution. Il avait trouvé que ce n'était pas du tout une affaire de tempérament ou de galette, mais de ce qu'il appelait : le complexe de l'explorateur ou complexe de Livingstone. Il m'en a assez corné les oreilles. Le Tchèque faisait aussi l'accostage de rue sous les traits de l'étudiant ébloui, l'ouvrier, le satyre, et mon zèbre avait en plus un autre recruteur qui faisait les salles de danse, un gros type chauve dans les cinquante ans à qui il avait été recommandé d'être surtout médiocre, mais bien élevé. Ce n'était pas celui-là qui s'envoyait les plus moches. Toutes ces dames étaient classées. Et on les renvoyait sans dommage après un petit week-end aimable. Enfin, c'était fait scientifiquement.

— Dites donc, me dit mon type, vous connaissez beaucoup de choses, et même des termes techniques. Je n'ai jamais eu de conversation aussi intéressante.

Alors, je lui demande ce qu'il pense de l'artiste, ce qui va arriver à ses mains.

En principe, rien d'extraordinaire. En temps normal, il l'aurait expédié dans un hôpital mais, au moment où il l'a trouvé chez les sœurs c'était impossible. Pas d'ambulance, quarante de fièvre et moins neuf dehors. Rien à faire. Ajoutez qu'il n'était pas aux assurances. Et on m'a dit aussi qu'il y avait je ne sais quoi avec quoi il fallait être prudent. Je me suis donc débrouillé avec les moyens du bord. A ne rien me dissimuler, il en est assez fier. Il restera à l'artiste, mettons dix pour cent d'incapacité, peut-être même cinq pour cent. Qu'est-ce qu'il fait dans le civil ?

Je gaze. Je dis que c'est moins son *métier* qui, évidemment... avec le métier on peut toujours se débrouiller. Il s'agit de ce qu'il aime, et il aime la finesse et l'habileté. Il avait l'habitude de faire de ses doigts des choses habiles. Est-ce qu'il pourra toujours ?

— J'ai rarement vu par ici des frères aussi attentionnés, me dit mon zèbre. A son avis, il faudra voir. Il n'en sait rien. C'est une question de volonté. J'ai vu la volonté faire des miracles. Moi aussi, et dans tous les sens. Je sors Gros-Jean comme devant. Sauf que, dans trois, quatre jours, mon artiste sera d'aplomb sur ses pattes avec un bulletin de sortie. Nous pourrons aller nous faire pendre ailleurs. C'est, au fond, l'essentiel en tout, Livingstone ou quel que soit le nom qu'on donne au peu de chose qu'on est.

Je mets de l'ordre dans nos affaires. Je règle en cinq sec le côté financier et maternel de la mère Lantifle. Elle sent que je n'ai pas de temps à perdre (certainement même elle le comprend. Elle recommence à avoir des attentions pour André. Et d'ailleurs, la route passe à sa droite ; pour départementale qu'elle soit, elle apportera toujours quelque chose). Je vais ensuite voir les petites sœurs avec du miel dans toutes les entournures. Je me fais expliquer ce qu'il faut continuer à faire à ces mains. On me les montre. Je les trouve bien. J'insiste cependant pour que l'artiste continue à porter ses pansements. Elles sont tout à fait de cet avis.

J'explique à l'artiste, en confidence, quelque chose de tout à fait magnifique, tout à fait compliqué et tout à fait faux. J'ai mis toute la sauce et il me croit. Nous sommes mercredi. Qu'il soit prêt pour vendredi matin. Je reviens une heure après ; changement de programme, nous partons samedi à trois heures de l'après-midi.

C'est un nommé Barruol qui nous porte. J'ai réparé son camion il y a huit jours. Il descend dans le Midi avec du fret pour les transports de primeurs. Ce qui m'intéresse, c'est qu'il ne fait pas exactement la grand-route connue. Il la suit jusqu'à un certain point ; de là il pique à travers la Drôme sur un itinéraire qui lui fait économiser cent litres.

Je cherche. J'explore. Il y a des vies dans lesquelles ne pas faire la putain serait un péché mortel.

Après entente avec le Barruol nous partons à pattes, l'artiste et moi, samedi vers deux heures. Le camion nous ramassera sur la route. Il fait blanc, sans neige ni froid. L'artiste a l'air de fonctionner assez bien. Il faut qu'il perde cette graisse, bon Dieu ; on dirait un abbé! Il a des bajoues jusque sur le col de sa chemise.

On fait deux, trois kilomètres peinards, puis le Barruol nous rattrape. On se passe un litre, on boit un coup et, vogue la galère.

Deux heures après, on a retrouvé l'hiver sec. L'herbe est rousse. Les villages sont entourés de petits jardins potagers noirs comme l'encre. La route est redevenue roulable. On est déjà engagé dans ces traverses qui vont sans doute nous mener vers ce que je désire.

Je cherche un petit endroit paisible et confortable où je puisse, moi, trouver du travail, où l'artiste se retapera peu à peu. Je ne sais pas du tout ce qu'il faut espérer de ce côté. Parfois, je me demande ce qu'il va faire. La plupart du temps je me dis qu'on est, somme toute, sorti avec les honneurs de la guerre ; que pour le reste on verra, le moment venu.

Le premier soir nous couchons à Saint-Michel. Le lendemain, qui est dimanche, nous entrons dans un pays un peu plus sauvage. Ce sont de hautes collines et, quand nous sommes au sommet d'une bosse, nous voyons des collines entassées de tous les côtés. Les villages sont rares et, dans l'intervalle, nous ne rencontrons pas grand monde. Nous nous arrêtons à Entrepierre où il faut décharger une partie du fret qui est du bois de charpente. Mais naturellement il nous faut attendre au lundi matin. Il n'y a pas d'hommes. Ils jouent aux boules près du bistrot. Barruol a dû calculer son coup. On est là depuis cinq minutes qu'il fait déjà partie d'une équipe. Il fait frisquet. Nous entrons au bistrot l'artiste et moi. Nous tirons des plans en buvant du vin chaud. D'après lui nous devrions quitter Barruol et aller un peu le nez au vent. Je suis très content qu'il s'intéresse à la question. Il n'a pas du tout envie de descendre franchement dans le Midi. Je lui demande pourquoi. Il ne voudrait pas encore aller dans un endroit où il y a trop de monde. A cause de quoi ? Rien de précis, une idée comme une autre. Je suis libre. Lui, en tout cas, c'est ce qu'il va faire. Faire quoi ? Se débiner. Se débiner de quoi ? De moi ? Bien sûr.

Je ne m'emballe pas. Je pose les faits tranquillement devant nous deux bien en évidence, sur la table de marbre. Et d'abord une première chose : il a dit que j'étais libre, c'est la vérité. Il l'est aussi. Je ne tiens pas à l'accaparer. Il veut partir ; la route est large. Qui le retiendra ? Pas moi. Je suis une trop vieille cloche pour ne pas connaître sur le bout des doigts toutes les raisons qu'on a de foutre le camp. Voilà pour une. Deux : il n'a pas le rond. Je partage. J'ai vingt-trois mille francs. En voilà treize. Il me demande où est passé tout l'argent qu'il avait sur lui. Je lui réponds que, quand je l'ai trouvé dans la souillarde en train de geler à côté du pot de chambre, il n'avait pas un rond dans les poches. Sauf ce couteau que je lui rends.

— Que tu m'as pris ?

— Que je ne t'ai pas pris. Que je t'ai emprunté pour les besoins de la cause.

J'attends qu'il me dise que je lui ai également emprunté sa galette pour les besoins de la cause. Mais il ne le dit pas. Je suis même certain qu'il ne le pense pas. Mais la pensée des autres nous ne la connaissons jamais. Nous l'inventons. C'est déjà bien.

Chapitre argent c'est terminé. Il me dit : donne. Je ne me dégonfle pas, je lui donne treize mille balles.

Maintenant, est-ce qu'il me permet d'expliquer mon idée ? Rien n'empêche. Quitter Barruol, j'y pensais. Les endroits où il y a trop de monde, j'y pensais aussi. Tout ce que je cherchais, c'est un patelin tiède. Certainement pas pour moi : pour lui. Il est assez grand garçon pour se le chercher tout seul, je n'en doute pas. Voilà ce que je lui propose : il va se chercher ce qu'il veut et je vais me chercher ce que je veux. Ceci posé, est-ce que quelque chose nous empêche de chercher ensemble ? Non, rien. Quittons Barruol puisque c'est notre idée à l'un comme à l'autre. Filons ensemble puisque rien ne nous en empêche. S'il trouve quelque chose à sa convenance et qui ne soit pas à la mienne, il y reste et je continue. Si je trouve et que ça ne lui plaise pas, je reste et il va où il veut. Est-ce que comme ça, ça lui plaît ? D'accord.

Dire que je suis content serait excessif, mais peut-être que je connais ses raisons : il doit avoir besoin de croire qu'il est quelqu'un.

Le lendemain, je lui laisse choisir sa route et nous partons à pied. Nous parlons de choses et d'autres et, au bout d'une heure, ex abrupto, il me dit très gentiment : « Tu es une vieille noix. » Je suis ravi. Je trouve que le jour est charmant. Il ne fait pas froid du tout, mais le pays a vraiment une sale gueule.

Sur le soir, qui tombe vers quatre heures, nous nous installons à un carrefour et nous avons la chance d'être ramassés par une camionnette qui transporte les ouvriers d'une carrière de plâtre. Elle nous mène à un village que sans elle nous n'aurions jamais vu, caché dans une forêt d'yeuses. Une dizaine de maisons à rats et à renards avec les bois tout autour. On nous y reçoit très bien. Nous mangeons la soupe d'un dénommé Arthur et nous couchons dans son étable, avec les chèvres.

Je fais très attention dans la conversation de bien séparer mes projets des siens. Je dis : « Arrivé là, je ferai ci ou ça », comme s'il n'existait pas. Et je lui demande : « Et toi ? » Il me répond invariablement : « Je verrai. » Qu'il ait du plaisir avec moi, c'est évident, et il ne me le cache pas. Mais il ne veut pas d'attache. Nous parlons en marchant sur la route ou à l'étape, toujours d'une façon très amicale. Souvent il m'appelle vieille noix. Je lui raconte des histoires et le temps passe agréablement. J'achète régulièrement de quoi manger pour tous les deux. Il me dit : « Si on traverse une petite ville, paye-moi une autre guitare. » J'y avais déjà pensé. Ces moments-là comptent parmi les plus heureux.

Nous ne rencontrons pas beaucoup de monde de ce côté. De temps en temps un paysan avec une vieille voiture qui nous porte pendant cinq ou six kilomètres, puis il tourne court dans un de ces petits villages cachés sous les chênes verts. Mais la balade est très épatante. A côté du temps de la montagne celui d'ici est du gâteau. Le ciel est sale, mais très haut. Il ne gèle que la nuit et le matin de bonne heure ; dans le courant du jour et dès qu'on s'est réchauffé par un peu de marche, il fait bon.

On n'a plus besoin de soigner les mains. Plus de pansements. Je les trouve correctes. Je les vois fonctionner comme des mains ; aussi bien que les miennes. Malgré la marche, l'artiste reste cependant encore un peu bouffi.

Nous menons une assez belle vie. Nous rencontrons des quantités de vieux châteaux dans des pins, sur des collines. Je me turlupine un peu sur la question boulot. Il ne faut pas se laisser impressionner par la tiédeur : le fond de l'air reste frais et il y a encore au moins trois bons mois avant le vrai printemps. Je parle de celui sans pluie ni vent. J'ai déjà vadrouillé en cette saison dans des pays à peu près pareils et je sais qu'il faut encore s'attendre à de la musique.

J'ai également décidé une chose. Il veut être libre, il le sera. Je n'aime pas les types collants ; je ne veux pas en être un. J'ai un peu de rancune. On rattrape un piéton. Il nous dit : « Salut ! » On engage la conversation. Il n'est pas trimard. C'est un type d'ici. Qu'est-ce qu'il fiche, à pied sur les routes ? Il fait un tour. Je l'interroge sur le pays et il nous parle des quatre horizons pendant un bon moment. Il nous accompagne un bout de temps, puis il prend un chemin de terre et rentre à sa ferme. On la voit de la route. Elle est trapue et basse ; sans doute riche en cochons. Elle sent fort. Elle est presque enterrée dans des tas de fumier jaune. Il y remonte après son petit tour comme un type qui a du foin dans ses bottes.

Subitement, un matin, j'en ai marre. Je demande quoi, somme toute ? Un peu d'amitié, ce n'est pas le diable ! Je suis, je crois, impressionné par les déserts gris que nous traversons et par le mauvais temps qui arrive. Le regard de l'artiste est laid : d'accord. J'ai eu le temps de le voir se promener sur les choses et sur moi. Je ne lui demande pas d'être moins répugnant. Je m'en accommode. J'aimerais... je ne sais pas quoi ! Si je me dis que j'aimerais la gentillesse, je reconnais tout de suite qu'il a le droit de n'être pas gentil, et d'ailleurs il l'est, à sa manière. Si je me dis que j'aimerais avoir un peu d'attention, je pense tout de suite que je suis un sacré couillon d'attacher de l'importance à des momeries qu'il pourrait très bien faire sans y penser, et qu'il fait d'ailleurs. Si je me dis que j'aimerais sentir un peu d'amitié je me demande ce que c'est l'amitié, puisque j'en ai pour lui et que ça signifie quoi? Je ne sais pas ce que j'aimerais mais, ce que j'ai, j'en ai marre. Je voudrais qu'il trouve tout seul ce qu'il faudrait faire. J'ai l'impression que, si une chose semblable arrivait, le soleil et la lune se mettraient à danser ensemble.

Et nous faisons notre route, sans autre forme de procès.

Au premier village que nous rencontrons, je prends ma décision et je dis, sec, qu'il faut que je travaille. C'est un village tout en longueur; au bout des maisons la route est large ouverte et tout le monde peut s'engager dans l'ouverture. Cela s'appelle la vacherie. C'est peut-être ici qu'elle va m'arriver. J'ai besoin que quelque chose de valable en bien ou en mal me tombe sur le poil. Je ne peux plus fournir quoi que ce soit de moi-même par moi-même et, plutôt que de ne plus rien fournir, je veux qu'un événement quelconque me donne un tour de vis dans n'importe quel sens. Si l'artiste me quitte, il me quittera. Un point et ce sera tout.

Je me dis ces belles paroles et quelques autres pendant que, mou comme un sac de son, je fais le dur. Et je m'avance vers trois types qui sont devant la porte du bistrot. Mais, bien entendu, ils n'ont pas de travail à me confier. Ils sont trois, plantés devant la porte de leur bistrot familier. Ils ont, à portée de la main, leur chaise, leur tapis de cartes, leur sciure où cracher, et un poêle rond qu'on garnit jusqu'à la gueule quand ils ont froid.

Ils ont chacun deux bons amis à côté d'eux dont ils connaissent le cœur simple et les habitudes. Ils sont à l'ancre et il n'y a rien à faire pour moi. Ils sont étonnés que je demande à les aider dans leur boulot. Ils le font eux-mêmes assez facilement. Et ils me disent que, dans tout ce village ouvert, il n'y a rien à faire pour moi nulle part.

Je commence à être touché par des choses auxquelles je sais par expérience qu'on fait attention dans les grands moments. Par exemple les jardins d'hiver : les potagers avec leurs choux brûlés de gel, les céleris buttés dans leur pain de sucre de terre, les chicots de légumes noirs, la hampe pourrie des roses trémières. Les traces d'un homme qui cherche le bonheur sur place avec des objets soumis, faciles à comprendre et qui, obéissant aux saisons, semblent vous obéir, aimant le soleil et la pluie semblent vous aimer, accomplissant leur destinée vous comblent, par surcroît, sans manière, avec fidélité. Je suis en ce moment sensible à tout ce qui donne une certitude, quelle qu'elle soit. Et j'envie ceux qui sont arrivés à confier leur besoin de certitude à la terre et aux quatre saisons.

Que je sois en train de discuter la question travail (dans laquelle je mets tant de choses secrètes) avec les bonshommes du bistrot ou que, planté devant les jardins potagers je parle de choses et d'autres, l'artiste reste paisiblement à côté de moi à attendre que j'aie fini. Et en effet, quand j'ai fini, quand on me répond qu'il n'y a rien à faire, ou quand je suis bien persuadé que ce rosier ne refleurira pas pour moi, je retrouve mon artiste et nous nous remettons en route, sans avancer d'un pas : côte à côte, ennemis intimes et d'autant plus inséparables.

Nous voyons de cette façon-là encore deux ou trois villages. Ce qui fait, dans ce pays désert, au moins quarante bons kilomètres. Le vent est devenu très fort. Nous décidons de rejoindre le plus vite possible une grand-route, n'importe laquelle, et de prendre n'importe quel camion pour n'importe où. L'artiste est d'accord cent pour cent. Il dit : « Oui, n'importe où. » Je lui réponds : « Essuie-toi la bouche. » Il a de plus en plus tendance à saliver. Sa joie égoïste me fait plaisir. Et même à la réflexion, quand je me suis bien gargarisé de ces « n'importe comment et n'importe où » je vois dans son acceptation cent pour cent une sorte d'attachement. Ce n'est pas moi qui trouverai jamais la mariée trop belle.

On tombe sur un facteur qui fait sa tournée. Je lui demande où est la route nationale. Encore trois kilomètres sur le plateau, prendre le chemin à gauche, descendre, traverser le village, continuer à descendre ; elle est au fond, dans la vallée. Il commence à nous expliquer les raccourcis, mais je lui dis qu'on n'est pas pressé.

Les trois kilomètres une fois faits, on n'a plus besoin d'explications. On est devant un grand découvert. A nos pieds, assez loin en dessous, une vallée étroite où la route passe. Au-delà, un autre plateau du tonnerre que, grâce au vent, on voit dans tout son large jusque très loin, à l'endroit où il bute contre les montagnes bleues.

Tout le pays est net, sec, clair ; blanc comme un os. Nous pourrions descendre droit vers la nationale en dévalant la pente, mais on décide d'aller au village. J'ai envie d'arranger d'abord pas mal de choses en moi avec un litre de vin.

Il fait froid. On se frotte les mains. On fait le gros dos. Le village est à un kilomètre dans des détours. On y descend.

On entre au bistrot comme des obus. La femme est une brune qui en est bleu marine à force de noir partout, autour des yeux vifs et même ses lèvres. Elle rit en nous voyant entrer, le vent au cul, et fermer la porte comme un lion. J'ai un bon grand frisson qui me secoue de la tête aux pieds quand j'étends mes deux mains ouvertes au-dessus du poêle qui ronfle. Je siffle et je dis « Bordel de temps ! Qu'est-ce que vous en pensez, madame ? » Elle pense exactement comme moi.

L'artiste se chauffe les mains aussi. Elles sont blêmes et les cicatrices vertes les ficellent de tous les côtés. La dame demande où c'est qu'il s'est fait mal comme ça.

C'est une luronne solide, roulée comme un cœur. Elle se chauffe avec nous. Nous gigotons dans nos vestes. La femme et la chaleur, c'est au poil dans l'état actuel. Je liquide d'un seul coup pas mal de ces jardins d'hiver que je rumine.

Content de ne pas avoir trop négligé ma barbe. Est-ce que cette dame pourrait nous faire à manger ?

Je dis qu'on a eu une sacrément bonne idée de ne pas descendre droit à la route comme des cloches. Nous coquetons sur cette idée, la femme et moi. L'artiste reluque un tapis de cartes étalé sur son marbre. Il me dit : « Vieille noix, il faut que tu m'achètes un jeu de cartes. — Oui, tu parles, j'y pense. C'est le plus pressé. Est-ce qu'il y en a ici au bureau de tabac ? — Mais j'en ai des cartes », dit la dame. L'artiste lui explique qu'il veut un jeu neuf, que d'ailleurs c'est un cadeau que je dois lui faire.

— Vous êtes un type qui fait des cadeaux ?

Je dis que c'est exactement ça, à un point qu'elle n'imagine pas.

Elle appelle son moutard. Elle l'envoie chez la mère François prendre un jeu de cinquante-deux. Je sors ma bourse, je donne mille balles au gosse (il ne faut jamais se fier entièrement à la beauté d'une barbe. Les billets de mille font toujours partie des raisons du cœur. Je m'arrange pour montrer les cinq qui me restent.)

On déguste un café qui est l'occasion de mille galanteries. J'accuse quelqu'un de faire du café d'orge ; ce quelqu'un va chercher la boîte du café, m'y fait fourrer le nez et me dit : « Et ça, est-ce que c'est de l'orge ? » Et nous sommes dans un de ces moments où ce qu'on dit ne signifie rien. Le gosse retourne avec les cartes. L'artiste fourre le paquet cacheté et la monnaie dans sa poche. Je donne dix francs au gosse.

Est-ce que nous aimerions avoir tout à l'heure un plat de tripes ? Tu parles ! Je fais un laïus sur les tripes. C'est ce que j'aime le plus au monde (le plus drôle c'est que c'est vrai). Je dis comment on est bien ici, et à quel point. Et je fais une allusion voilée, délicate et sensible à cette cochonnerie de vie qui a failli nous faire passer à côté.

J'écoute le vent avec grand plaisir. Il fait les cent coups. A travers les vitres je vois la place déserte, deux ou trois enfilades de rues désertes, ce village désert et blanc.

Nous bavardons. Je surveille l'artiste, attendant qu'il tire le paquet de cartes neuves de sa poche, mais il ne le fait pas.

La table est mise près du poêle (on entend le vent jusque dans les tuyaux). Vers midi le mari de la dame arrive. C'est un petit blond. Ils ne se font pas beaucoup de mamours. Il va à son assiette et il y reste. Tout le temps qu'il est là, elle lui trace à haute voix tout ce qu'elle aimerait qu'il fasse pour elle après-midi. Il ne dit ni oui ni non. Et dès qu'il a mangé il y part, sans pipe ni café. Il y a des types qui m'étonneront toujours.

Il a le regard léger des gens qui s'en foutent. Pendant qu'on digère et que la femme fait sa vaisselle dans la cuisine, je dis à l'artiste : « Alors, sors un peu ton paquet de cartes neuves, qu'on les regarde. » Il me dit : « Non pas maintenant. » Je lui demande bêtement : « Comment vont tes mains ? » Et il me jette un regard désagréable et dur. Puis il se détourne de moi et il regarde le village au-delà des vitres avec le même regard désagréable et dur.

Nous ne disons plus rien d'un moment. De sa cuisine, la femme nous interpelle et nous demande si nous sommes morts. Je lui dis que non et nous continuons à nous taire.

Quand elle a fini avec ses assiettes elle arrive. Toutes les femmes qui sont venues vers moi s'essuyaient les mains à leur tablier. Elle n'est pas bête. Elle ne prend pas notre silence à la blague. Elle va chercher la bouteille de marc et trois verres. Elle nous sert sans dire un mot, elle se sert, s'assoit avec nous et se met à regarder comme nous le village blanc et désert. Cette façon de faire me va droit au cœur. Il en faut peu. A certains, ce peu est facile ; à d'autres, vous pouvez vous tuer à le demander pendant cent ans de carême.

Au bout d'un instant elle dit : « Qu'est-ce que je vais vous faire manger ce soir ? »

Elle ne nous interroge pas du tout : elle se parle à elle-même. Elle a mis la question sur le tapis, sans plus. Elle sait qu'à partir de là les choses se feront toutes seules si elle doivent se faire.

— Des tripes, s'il en reste, répond l'artiste.

La dame me regarde pour voir si ça colle.

Je fais juste un petit oui de la tête. Nous sommes tous les trois dans un moment où, moins l'on parle, mieux ça vaut.

Et d'ailleurs ainsi tout est dit. De ce qui compte en tout cas.

Restent comme toujours à régler les questions matérielles, la cinquième roue de la charrette.

A-t-elle des chambres ? La maison attenante au café appartient à sa belle-mère, et c'est là que sont les chambres. « A trois pas », dit-elle.

En parlant de belle-mère, qu'est-ce qu'il fabrique son mari ? Qu'est-ce que c'est son boulot ? Qu'est-ce qu'il y a comme boulot dans le patelin? Est-ce qu'il est comme ça tout le temps parti? On l'a à peine aperçu. Ou bien est-ce qu'il s'occupe un peu lui aussi du bistrot? Pas du tout. Il est tout le temps parti. On ne l'aperçoit jamais plus qu'aujourd'hui. En fait même, aujourd'hui serait plutôt un jour où on l'a beaucoup vu. Il travaille aux bêtes. Il travaille à quoi? Il travaille aux bêtes. Qu'est-ce que ça veut dire? Est-ce qu'on connaît un peu la région? Pas du tout. Vous n'avez pas vu le château? Pas plus de château que de beurre aux fesses. Vous veniez d'où? On lui parle du plateau qu'on a traversé et du vent. Précisément : dans un endroit abrité du vent et qu'on ne peut pas voir de là-haut, il y a le château de M. Albert. M. Albert s'occupe de l'élevage du gibier pour les grandes chasses ; même les chasses présidentielles. C'est un truc qui fonctionne sous le contrôle des Domaines et des Forêts. Il y a des parcs immenses dans les collines, entourés de treillis. On cultive les faisans, les coqs, les perdreaux, les lièvres, et même les sangliers, et même les cerfs.

Cette industrie m'en bouche un coin.

L'après-midi s'est avancé. Je constate qu'ici le soir est blanc comme le reste du jour. On n'a pas vu un seul indigène, à part le vent.

Nous voyons passer une bagnole grand sport, entièrement décapotée. C'est une poule minuscule qui conduit, seule, le menton haut comme les gens qui font profession de manger du vent.

— Voilà Mme Albert.

Puisqu'on est sur ce chapitre, je cherche du boulot,

moi, au fond. Est-ce que je ne pourrais pas travailler aux bêtes, moi aussi? Si je suis spécialiste? Oui. Non. C'est la seule chose que je ne sois pas. A moins qu'il s'agisse de mécanique. Là, évidemment, je me défends quand c'est nécessaire. Est-ce que vous savez conduire les autos? En première. Je me fouille et je sors mes papiers. J'exhibe mon permis poids lourds.

— Vous avez un joli prénom, dit-elle.

— Oh! vous savez, il est plutôt simple.

— Il me plaît.

J'attire surtout son attention sur ce que signifie mon permis. Et je lui raconte à elle et à l'artiste quelques petites histoires en ma faveur, de l'époque où je faisais le cuirassier sur les routes de Savoie avec des chargements de fromages. Le fromage n'est pas flatteur, mais j'y mets du charme.

Elle regarde ma photo et elle me dit que je suis aussi très bien sans barbe. Je lui fais remarquer que, sur les photos d'identité, on a toujours des gueules de bagnard. Ce n'est pas son avis pour celle-là.

Ceci étant, elle croit que j'ai une chance. Le type qui faisait le ravitaillement avec la camionnette et qui s'occupait des voitures est parti depuis deux jours. Si on ne l'a pas encore remplacé, ça pourrait coller. Je dis que, si on avait su, ça aurait valu le coup d'en toucher un mot au passage à la poule qui conduisait, menton haut. Elle doit bien la connaître? Elle la connaît mais n'en dit pas plus. Sinon que la poule ne s'occupe pas de ces choses-là.

— Le mieux est d'attendre le retour de mon mari. Ce soir, il doit rentrer.

— Car il y a des soirs où il ne rentre pas?

— Souvent.

Il arrive vers les sept heures.

Nous avons été les seuls clients pendant longtemps, puis les habitués du soir sont venus l'un après l'autre. Il y a cinq ou six types de mon âge : tous, semble-t-il, des fervents de la moustache. Ils ont de ces bacchantes de poils gris! Des merveilles. Leurs mentons sont tout petits dans ces monstruosités. Sortis du vent et entrés ici ils frétillent pendant un bon petit moment comme des poissons sur le sable avant de s'asseoir.

Je guette le moment où les parties de belote vont commencer. Pendant que je me tire vers la cuisine pour mon fameux chauffage de fesses habituel, je vois l'artiste qui s'approche des joueurs et qui s'apprête à suivre le jeu par-dessus les épaules.

La cuisine est toute petite. Au lieu de m'installer carrément sans rien dire comme toujours, je demande poliment la permission. Qu'on me donne. On est obligé de passer très près de moi pour s'occuper, et on le fait ; et je trouve qu'on s'occupe beaucoup, ce qui est loin de m'être désagréable. J'ai cette femme très à la bonne. Je lui demande son prénom. C'est Catherine. C'est joli. Je passe une heure sans même me souvenir que l'artiste est en train de regarder par-dessus l'épaule des joueurs de cartes. Puis j'y pense, et je décolle illico de mon poêle pour aller voir. Il est toujours debout, planté. Il ne s'est mêlé de rien.

Le petit blond qui s'en fout arrive donc vers les sept heures. Je ne me dérange pas de ma place. J'aime que cette question de chauffage de fesses soit bien posée dès le départ. Je regarde comment il réagit à ça. Zéro. Il considère visiblement qu'il n'y a pas de question du tout. Savez-vous ce que je pense? (Pour bien me connaître, il faut le savoir.) Je pense que je l'envie.

Mais, on ne se refait pas ; il faut s'utiliser tel qu'on est. Ça ne s'adapte pas toujours. De là les peines.

D'habitude, avec des trucs comme la place du château, il faut tourner cent sept ans autour du pot. Ici, en cinq sec on me l'empaquette et on me la fourre dans les mains. C'est si rapide que je suis le seul à faire des manières.

Il n'y a pas à en faire. Je la veux? Elle est à moi. Il n'y a qu'à aller au château tout de suite. Le petit blond m'accompagne. C'est à huit cents mètres. Ce serait à huit cents kilomètres que je sauterais sur l'aubaine sans biscuits, tellement j'ai l'impression que les choses tournent rond.

J'en glisse un mot à l'artiste dans le tuyau de l'oreille en passant. Et j'ajoute : « Essuie-toi la bouche. » (Il est en train de saliver dur en regardant jouer aux cartes.)

Le petit gars blond est un gars bien. Même très bien. Tout en marchant dans le noir et le vent, il me dit cinq à six phrases justes qui vont où il faut et y font ce qu'il faut. Puis il la boucle. Il me laisse tout mon temps pour faire mes comptes. Puis il recommence. Il me fournit les données d'un autre problème. C'est du travail sans filet et sans chiqué. Pour ce qui nous intéresse tous les deux en particulier et tout le monde en général, il s'est choisi une place ; il s'y tient et il laisse tourner ce qui doit tourner.

Personne ne peut rien lui prendre. Juste ou faux, je me fais cette réflexion à tout hasard.

Nous entrons dans une cour. Il parle aux chiens qui se taisent. Dans la nuit, c'est imposant. Il y a même des tours. (Et certainement des alentours.) Par contre, je n'en mène pas large.

Il tire un pied-de-biche. On entend sonner une cloche dans des couloirs. Une femme vient ouvrir, à qui il dit Marthe. Est-ce que le patron est là? Il y est. Montez au premier.

On enfile un des couloirs. C'est à peine éclairé, mais j'y vois assez pour me rendre compte qu'on a tout à fait changé de crémerie. C'est tableaux, armures, panoplies et compagnie. Tapis et etc.

Nous montons. On entend de la musique. Un type chante. Ça doit être un gros et gras. Il débite des insinuations en italien. Il dit qu'en Espagne il y en a déjà mille et trois. Mais la musique alors, pardon, c'est quelque chose! Je n'y entends rien mais elle me fait plaisir. Je pense que c'est la radio.

On attend sur le palier que la chanson soit finie, puis on frappe. Nous entrons dans un hall de gare. Il n'y a qu'une toute petite étincelle de lumière et, sous l'abat-jour, un type qui change le disque à un électrophone pareil à celui du docteur Ch.

Ce que je pense tiendrait sur une pointe d'épingle. Si c'est le patron, il est grand et fort, sans trop ; souple et imitant très bien le maigre. C'est le patron. Le petit blond fait son numéro avec une aisance remarquable. Je me dis que, si ça colle, dans quelques jours je ferai pareil. Pour le moment, je jette des coups d'œil sur cette immensité obscure, dans des murs de livres ; sur cet homme dont les yeux sont clairs, le visage dur et amer (une amertume à vous foutre les foies), les tempes blanches. Il a au moins dix ans de plus que moi ; dans les cinquante-cinq, soixante. Je le trouve sympathique. Il me serre la main.

C'est un personnage à ne pas quitter de l'œil. Plus on le regarde, plus on l'aime. Est-ce que c'est pareil quand on le connaît ? Ça ne doit pas avoir d'importance. J'aime l'endroit où il se tient, ce qu'il était en train d'y faire, la façon qu'il a de ne pas employer son amertume à l'usage externe. Il me parle gentiment et juste pour aplanir mes difficultés.

Je suis embauché depuis longtemps qu'il continue à me donner de l'espoir, sans bavardage et sans limite. J'ai l'impression que je tiens la queue de l'âge d'or. Il n'y a plus qu'à s'y cramponner et à laisser gambader la vache.

Le soir même j'ai une conversation de famille avec l'artiste. Pour le moment, nous avons deux lits dans la même chambre. Demain, on nous mettra chacun chez nous. Nous nous fourrons dans le pieu, nous éteignons et je parle.

Deux mots d'abord sur la question château, réception, boulot, tout le bazar. Puis, j'entame le plat de résistance mollo-mollo et en soufflant soigneusement sur la cuiller. Le plumard prédispose à la diplomatie. Qu'est-ce qu'il pense du patelin ? Rien. C'est bon signe. Nous y avons des rentes. C'est une partie de l'essentiel. Question de faire quelque chose de ce rien, c'est dans nos cordes. Et ça me paraît l'enfance de l'art.

J'écoute rugir le vent contre les murs. Et je laisse tout son temps à l'artiste pour qu'il l'écoute aussi. Ça fait partie de mes arguments.

Qu'est-ce qu'il dit de ces draps qui sont d'une propreté!... Je n'ai jamais vu de draps aussi blancs. Il n'en dit rien. Parfait. Est-ce qu'il a chaud? Il a très chaud, il est très bien. Il ajoute : « Boucle-la ; je roupille. »

Ça n'est pas tout à fait vrai. Nous le savons tous les deux ; nous ne trompons personne. Je le laisse cinq minutes sur son gril, du même côté.

Question galette, j'annonce la couleur : c'est florissant au possible. On peut tout se payer ; vivre comme des milords jusqu'à ce que le temps permette mieux. La route nationale est toujours à sa place : personne ne nous la prendra. Si on la veut, elle est toujours là tous les jours ; on n'a pas besoin de s'en faire, ni d'abandonner quoi que ce soit de notre façon de comprendre la vie. Si tout ça tombe dans l'oreille d'un sourd, tant pis ; mais je ne voudrais pas.

Je sais qu'il m'écoute. Il sait qu'il n'a pas besoin de répondre, à moins de vouloir dire une vacherie.

J'explique de quelle façon j'ai fait combine pour nous deux avec Catherine et le petit blond. Tout un côté de l'existence est réglé comme du papier à musique.

Silence. Un peu de vent. Beaucoup de vent (il en faudrait des tas ; plus encore).

Je suis extrêmement bien dans mon plumard. J'ai fourré mes mains entre mes cuisses. J'ai chaud. Dans cette position-là et pendant que le sommeil me gagne, je ne suis pas en état de faire les quatre cents coups, bien entendu, mais je voudrais savoir s'il a essayé ses mains. Est-ce qu'il peut encore tricher avec elles ? Cela me paraît être une sorte de garantie.

Je me pose des quantités de questions, toutes plus bêtes les unes que les autres. Est-ce qu'il trouvera dans ce patelin un matériel nécessaire pour jouer sa peau ? A part ses mains. Si toutefois elles ne pouvaient plus fonctionner à cet usage.

Je suis très bien dans mes couettes. Couché plat-dos je ne changerais pas de place pour tout l'or du monde. Ce n'est tellement pas drôle d'être inquiet dans cette situation que ma propre chaleur me force à ne plus l'être.

Je m'imagine qu'il dort. C'est beau l'amitié! Je l'entends respirer et cela me suffit. Il doit penser à des choses semblables, à sa manière, car il me dit d'une voix très claire :

— Tu m'achèteras une guitare.

Je me précipite pour lui répondre oui. Tu parles! Mais je dors. Et je passe toute la nuit à lui répondre. C'est épatant des nuits comme ça!

Je me réveille à cinq heures. Je m'habille en vitesse dans l'obscurité. Je descends. Le train-train a déjà commencé dans la cuisine. Catherine moud le café entre ses cuisses. Le poêle ronfle. C'est une des plus belles cuisines de ma vie.

Le petit blond est, paraît-il, déjà parti.

Je fais un brin de toilette dans l'évier. Je mets aussi ma barbe à l'unisson de Catherine, de ce pays, de ce patron et de tout le bazar. Je la taille un peu plus près du menton, lui laissant juste de quoi friser. Je prends mon air de feu pendant que Catherine est en pleine représentation théâtrale. Elle joue la douce compagne sensible et tendre, et c'est du nanan. Nous parlons de choses et d'autres, c'est-à-dire d'elle et de moi, et nous faisons avec ça un petit cachet d'aspirine contre le vent (qui continue) et tous ces ossements de village et de rocher qui, d'ici une heure, vont sortir de la nuit fiers comme Artaban.

Elle touche ma barbe, et je fais celui qui va lui mordre les doigts. Elle est ravie de crier de peur comme une petite fille. Il y a de la ressource dans l'être humain.

J'arrive au château avec le jour et je fais le planton devant les chiens qui ne me connaissent pas encore. Un type s'amène. Il est au courant à mon sujet. Il me fait entrer dans une cahute qui tient lieu de corps de garde. Il y a déjà là deux forestiers qui se chauffent. Nous parlons du pays.

J'apprends que je vais aller chercher de la provende : graines, tourteaux et sésame à D. C'est à seize kilomètres. On me donne une liste des fournisseurs. Tout est marqué : poids et qualités. Est-ce que je me débrouillerai ? Je leur dis que souvent j'ai fait mieux. Il me semble que mon prédécesseur ait été l'idiot du village. Ils me font cinquante recommandations. Ils sont anciens et je suis bleu. Ils plastronnent. C'est juste. Je leur en laisse volontiers les étrennes.

Je fais connaissance avec mon engin. On a négligé de couvrir le moteur et j'ai du mal à démarrer. Le garage est au nord.

De jour, le château a une gueule invraisemblable. C'est un truc qui est vieux comme Hérode. J'aperçois aussi, ce dont je ne m'étais pas douté hier dans la nuit, des terrasses qui descendent en escalier avec des bassins et des balustrades blanches. On a l'impression d'être roulé dans de la dentelle.

Sur la nationale, le vent me prend de plein fouet. Je sens dans le volant que c'est loin d'être de la rigolade.

J'arrive à D. dans une ville endormie. De par sa situation dans une cuvette, l'ombre de l'aube est encore dans ses rues. Tous les magasins sont fermés. Je défile jusqu'à un bistrot ouvert sur une place où il y a un départ de cars. Je bois un jus de chaussettes avec des gens blêmes, sur leur trente et un. Ils ont tous le mal de mer du petit matin. Toutes ces poules (qu'on aime peut-être ailleurs) et ces commis voyageurs dégagent une forte odeur de dent cariée.

Je vais prendre l'air (qui pique). En attendant le moment où les sédentaires se décideront à sortir du lit, je fais un tour dans ce patelin qui est une préfecture. Je m'agite un peu le sang dans ces rues désertes où tout est bouclé : devantures et fenêtres. Je pense à toutes ces chambres à coucher remplies d'époux. Ça doit être un fameux galimatias! Bel orphéon de tiroir-caisse et du donnant-donnant. Ça doit en fabriquer de la prostitution et du tapin, ces dix mille âmes! Disons à jets continus, pour être polis.

Il paraîtrait que je suis amer, mais pas du tout, au contraire : l'indulgence même et la compréhension. Je suis le type le plus *compréhensif* de la terre. Je reconnais qu'à première vue il faut leur donner le bon Dieu sans confession.

Il y a des types qui partent musette au dos pour des usines. Je leur demande où c'est qu'ils vont. Il y a une fabrique de cartonnages dans les environs, une petite filature et un ramassage de lait où l'on fait du faux camembert. C'est ma tournée des grands-ducs, ce matin. Je me délasse.

Tout compte fait, les types couchés dont je viens de penser pis que pendre finissent par se lever. Ils entrebâillent les boutiques, puis ils les ouvrent. Ils ont tous de bonnes bouilles, pour dire la vérité. On met de la literie aux fenêtres : draps, couvertures, édredons. Les femmes qui se montrent là-haut avec cet attirail ne sont pas si moches que ça. Ils pourraient me répondre, les uns et les autres, qu'il faut tenir le coup ; si je connais un meilleur moyen que le leur, je n'ai qu'à le dire. Non, je n'en connais pas.

Je dis des gentillesses à une petite brune boiteuse qui sort des cageots de légumes pour son étalage. Elle a des yeux de velours. Elle est infirme, et je lui donne un petit coup de main pour ranger ses caisses. Je le fais pour ses yeux qui sont agréables à regarder. Ils sont doux et soumis. Je reste avec elle tant que je ne la vois pas sourire.

Puis je passe dans une rue et je reluque un pâté en croûte à la vitrine d'un rôtisseur. J'entre et je l'achète. Je le fais empaqueter pour l'artiste. Ça lui fera une petite surprise agréable. Moi je m'envoie deux chaussons à la farce qui descendent comme une lettre à la poste. Et après ça, je bourre une bouffarde maison.

Mes tourteaux, graines et sésames, sont chargés en un clin d'œil. En même temps on me fait une commission : on a téléphoné du château pour me dire d'aller prendre les journaux, puis de passer chez une nommée Mme Anita qui me donnera un paquet pour Mme Albert.

Je vais chez l'Anita. C'est une couturière en chambre. Il faut monter au premier dans une maison qui sent un peu le bordel. La dame fait un chichi du diable pour plier dans du papier de soie une veste écossaise si menue que je me demande comment un être vivant va pouvoir tenir à l'aise là-dedans.

Malgré l'heure matinale, Mme Anita est poudrée, peignée, fardée, tirée à quatre épingles et parfumée comme un bosquet de lilas. Elle est dodue et en montre un peu. Ce qu'on en voit est couleur « délices de sous-préfet ». Elle parle de la gorge. Elle est d'accord à en crier avec son escalier : ténébreux, silencieux, discret, aux doubles portes. Moi, ces trucs-là me font revenir vingt ans en arrière à l'époque des illusions. Il a dû s'en perdre dans cette baraque ; on les sent grouiller.

Je me débine en vitesse dès que la veste de naine est empaquetée.

J'attendais un « au revoir, beau blond » mais l'Anita me souffle simplement : « Dites à Mme Albert que j'ai besoin d'elle pour les essayages cette semaine. » La commission sera faite.

Je mets le carton d'Anita sur le siège à côté de moi. Je démarre et je me débine.

Je fais mon boulot de chauffeur à la manque pendant deux ou trois jours. Ce n'est pas sorcier. A part le voyage à D. tous les matins, le reste du temps je me les roule. Je ne compte vraiment pas comme travail le coup de chiffon à la décapotable de la dame et le coup de pied que je donne dans les pneus pour voir s'ils n'ont pas besoin d'un peu de remontant. Je mets mon garage sur son trente et un. Je vérifie la moto du seigneur. Je fais les pleins ; je graisse. Enfin, rien pour un type comme moi qui préférerais plutôt être occupé.

J'ai beau chasser le travail dans tous les coins, j'ai encore trop de temps pour réfléchir à l'artiste.

Je suis très collet monté sur certaines choses. Par exemple je déteste fouiller dans les poches des autres. J'en fais un monde. Mais un matin que l'artiste roupille, le nez contre le mur, je fouille sa veste. Le paquet de cartes neuves me trotte par la cervelle. Je veux voir ce qu'il en a fait. Il n'en a rien fait. Le paquet est encore intact.

Au château, je suis obligé de me rendre compte d'un tas de choses, à force de flemmarder. La petite poule sort en bagnole tous les jours à la même heure : disons trois heures de l'après-midi. Chaque fois, M. Albert assiste au départ, soit debout sur le perron, soit derrière ses vitres à l'étage. Elle sort la voiture, s'installe et file comme si elle avait le feu au cul. Moi, si j'étais elle, je me retournerais et je ferais un petit bonjour de tendresse vers le perron ou vers les vitres. Mais elle n'est pas moi et elle ne le fait pas. Je suppose qu'elle va à D. En tout cas elle en prend la route.

Dimanche après-midi on part, l'artiste et moi, faire une petite balade. Ça ne nous ressemble guère. Nous avons l'air fin, après toutes les balades pour arriver ici, de passer notre campo à déambuler dans ce pays. Mais c'est encore ce que nous trouvons de mieux à faire.

On va, le nez au vent, comme des bourgeois. C'est qu'on a des sentiments de bourgeois. On dirait que je vois le monde pour la première fois de ma vie ; je le regarde et il m'ennuie. Je ne prends aucun plaisir. Nous faisons aller nos jambes comme si le docteur nous l'avait recommandé, et nous pensons à autre chose. Ça ne peut vraiment pas s'appeler une distraction. C'est quoi, somme toute? Je pense à tous ceux qui font pareil. Je me dis que nous devons être très nombreux dans cette situation sur la surface du globe.

Finalement, nous trouvons un abri et nous nous couchons au dos d'un talus. Il y a comme toujours beaucoup de vent et un soleil gris. Je fais tout ce qu'il est humainement possible de faire : j'essaye de dormir, je suce un bout de romarin, je regarde attentivement un pays dont je me fous comme de ma première chaussette. Tout ça ne me chauffe pas beaucoup les cuisses.

Je demande à l'artiste s'il aime beaucoup le fric. Il me répond que tout le monde l'aime. Je suis de son avis mais, par exemple, moi je n'y tiens pas tant que ça. J'y tiens dans la mesure où j'en ai besoin. « Ce qui ne t'a pas empêché, dit-il, de me faire les poches. » Je serais plutôt dans un jour où je me fâche. Je lui explique pourtant posément pour quelle raison je l'ai fouillé, là-haut, dans la montagne. Je voulais le couteau. Pendant que je parle, je revois la souillarde, et le sang, et je me retrouve pour deux minutes dans l'état d'esprit où j'étais pendant que je descendais l'artiste sur mon dos. Ça me réchauffe. C'est très agréable. Puis ça s'en va et je suis là à essayer de lui faire comprendre qu'il n'avait pas un sou sur lui. Il est buté ; il ne le croit pas.

Je lui demande s'il s'imagine que je suis un type dans ce genre-là. Il me répond que tous les types sont dans ce genre-là. Admettons. Je ne suis pas de ceux qui croient au père Noël ; j'en ai trop vu. Mais, si on était dans la position inverse ? Qu'on m'ait cassé la gueule et qu'il vienne à mon secours, est-ce qu'il en profiterait pour me faire les poches ? D'abord, dit-il, je n'irais pas à ton secours. Les affaires des autres ne me regardent pas. Et si par hasard j'y allais, je te ferais peut-être les poches. Je ne vois pas pourquoi je m'en priverais.

Admettons encore. Je sais très bien que l'argent est un besoin physique (j'ai envie d'ajouter que c'est même un *besoin naturel*) mais il y a des cas où on le fait passer volontiers après beaucoup d'autres choses. Ça, dit-il, c'est des bobards ; et des bobards, depuis qu'il est né on lui en sert.

Des bobards, pas tant que ça. Et les pères de famille, tiens, est-ce qu'ils ne donnent pas la paye à leur bourgeoise pour les gosses et tout le saint-frusquin ? Il me répond non. Ils donnent la paye parce qu'ils sont obligés. Et quand ils ne sont pas obligés, c'est qu'il y a des combines. Quelles combines ? Ils y trouvent leur intérêt.

Alors, je prends par exemple moi. Je lui ai donné treize mille francs. Il croit que c'est pourquoi ? Parce que je lui ai barboté plus que ça. Il ne voit pas autre chose ? Non.

Ce n'est pas la peine de se fâcher. J'essaye de lui faire comprendre, d'abord que je ne lui ai rien barboté du tout ; ensuite qu'il y a des cas où on est bien plus content de donner que de garder, de partager que d'être seul à avoir ; qu'il y a des cas où l'on a plaisir à donner ; qu'avec le même fric on ne pourrait rien se payer de meilleur. Puis, je m'aperçois que j'apporte de l'eau à son moulin et je la boucle un certain temps.

Il n'est pas si con que ça. Il s'est bien rendu compte que je viens de me mordre la langue. Il a un petit sourire mauvais, et il me laisse tout le temps de faire un tour de l'horizon. Le bled où nous sommes est d'un moche complètement fini. C'est torché. Le vent et rien ; impossible de se raccrocher à quoi que ce soit. Obligé de chercher en soi-même.

J'ai connu des quantités d'endroits où il en faut peu pour se changer les idées : un oiseau, une sauterelle, même le vent. Je vois bien, à force de regarder, qu'ici aussi il y a des sauterelles : les oiseaux ne manquent pas, même ils doivent être drôles dans ce vent si fort où ils rament, mais je me fous de ce qu'ils font et de ce qu'ils sont ; je suis dans un drôle d'état d'esprit. C'est loin d'être rigolo.

Au fond, ce que je voudrais doit venir de l'artiste. Et ce que je voudrais, je n'en sais rien. J'en suis toujours au même point. Je voudrais faire amitié, et qu'on ne parle plus de rien, qu'il n'en soit plus question, que ce soit sûr, qu'on ne soit plus tout le temps à se demander si c'est du lard ou du cochon.

Le truc qu'il croit : que je lui ai barboté son fric, ça ne

me gêne pas tant que ça. C'est d'ailleurs la raison pour laquelle ça ne me fout pas en rogne. Au contraire, dans un certain sens ça me plaît parce qu'il y croit vraiment. *Il n'a pas d'ennui à ce sujet.*

Je n'ai pas du tout envie qu'il se mette à faire des chichis. Tel qu'il est il me plaît. Et tel qu'il me plaît, il est à côté de moi maintenant. Je me demande ce que je réclame.

Son regard est mauvais plus que méchant. J'en connais qui préféreraient, et qui préfèrent en être loin que près : Catherine par exemple, le petit blond par exemple, le patron par exemple qui m'a déjà demandé qui était ce personnage que je traînais avec moi. Je ne peux pas dire que j'aime ce regard-là ; personne ne peut l'aimer. Il n'annonce rien de bon. Il vous juge à son profit. Et moi je sais que celui qui a ce regard, et l'envie de profiter de tout le monde, ne peut plus profiter de personne.

Je crois qu'au début, les premiers temps où j'ai préféré ce regard répugnant à d'autres, je m'étais rendu compte que l'homme qui avait ce regard ne pouvait profiter des gens et de moi-même qu'au prix d'une combinaison extraordinaire. J'ai pris en somme plaisir à lui faciliter les choses (et en ce qui me concerne je continue à lui faciliter les choses.) Est-ce cela l'amitié ?

Quand j'ai bien ruminé, que je me suis bien imbibé du pays vide qui nous entoure, je demande à l'artiste s'il ne va pas finalement se décider à jouer encore un peu aux cartes. Il me répond : est-ce que j'en ai déjà marre de payer la pension pour lui ? Je m'empresse de lui dire que pas un cheveu de ma tête n'a pensé à cette chose-là. C'est la vérité. J'ajoute (et ça n'est pas vrai) que Catherine me donne la nourriture et le logement à l'œil. « Tu la payes en nature ? » dit-il. Ça me gêne de dire oui, mais je dis oui si ça peut le rassurer. Non, la chose m'intéresse en tant que *spectacle d'art*. Il me répond qu'il ne joue pas pour son plaisir, ni pour le plaisir des autres.

Pourtant, le soir où j'ai participé au système, là-haut dans la montagne, il avait l'air de se prendre son pied.

Il me regarde d'un œil méprisant.

— Je n'ai pas besoin de descendre à la cave avec des gonzesses pour prendre mon pied.

Je ne relève pas l'allusion.

Alors, qu'est-ce qu'il raconte qu'il ne joue pas pour son plaisir ?

C'est tout son visage qui me méprise maintenant, et probablement tout son corps qui me méprise de la tête aux pieds.

— Tu fais tout pour ton plaisir, toi ? dit-il.

Et certes, ce que je fais maintenant, je ne le fais pas pour mon plaisir, cependant je ne peux rien faire de mieux. Je sens qu'il m'a percé à jour, et qu'il essaye de me faire comprendre quelque chose de très grave et de très important sur quoi les hommes ne sont jamais d'accord ni avec eux-mêmes ni avec personne.

C'est un drôle de dimanche !

J'ai un peu peur de tout ce qu'il comprend ; qui est énorme. Mais moi aussi, je comprends des quantités de choses, et notamment tout ce qu'il vient de dire, tout ce qu'il m'a dit depuis que je le connais, dans quoi il n'y a jamais eu un mot aimable. Il triche là aussi. J'ai l'impression d'être heureux.

Je dis : « Mais tu triches! » (Est-ce que je parle des cartes ou de lui et moi?)

Il me répond : « Naturellement, je triche. Est-ce que tu voudrais que je joue comme tout le monde? »

J'ai envie de lui dire non, mais je ne le dis pas.

Est-ce que je suis sur les routes par force ou, comme lui, parce qu'il n'y a rien d'autre à faire? (Comme lui, exactement comme lui, même si parfois j'ai envie d'autre chose.) Est-ce que je marche dans les combines des uns et des autres? Il voit bien que non. Est-ce qu'il a fait quoi que ce soit pour rester avec moi? Non. Est-ce qu'il m'a demandé quoi que ce soit? Je dis : « Une fois. — Quand? — Le soir de la foire. » Quand je suis entré, qu'on le tabassait, il s'est mis derrière moi.

Il a son mauvais sourire.

Il triche parce que c'est aussi une combine. Et que cette combine est la sienne. Il s'est mis derrière moi. D'accord. Mais, quand je suis arrivé, est-ce qu'il était derrière quelqu'un?

Je lui dis le plus gentiment que je peux : « Non, mon vieux, tu n'étais derrière personne. »

Je le regarde. Il ne comprend pas, parce qu'il faut qu'il pense à sa combine.

Et pourquoi lui demander plus? Est-ce que je me demande plus?

Nous revenons à notre point de départ. C'est un truc dont je n'ai pas l'habitude. Il est rare que je refasse les routes en sens inverse et que je rentre au bercail. Le ciel est blanc. Je suis étonné d'y voir quelques oiseaux. En approchant du village j'entends le vent qui gronde dans les rues désertes.

Je m'aperçois qu'au fond, aujourd'hui il a fait froid. Dans le bistrot, il y a trois tablées de belote. L'artiste prend sa faction debout, à côté d'une de ces tables. Il regarde le jeu par-dessus les épaules des joueurs.

Je vais me chauffer à la cuisine. Catherine me demande où j'étais passé. J'ai vite assez de tout ce que j'ai là. Je retourne dans la *salle de consommation* et je vais m'asseoir à côté du père Burle le cantonnier. Il tire sur sa pipe, ce qui me fait penser que je n'ai pas fumé la mienne. Il lit le journal. Je lui demande si les nouvelles sont bonnes. Il me dit non. Il me fait voir les titres. Je regarde l'artiste du coin de l'œil.

Nous avons après quelques jours très froids, et le vent charrie une pluie raide. Je fais chaque matin ma balade à D. pour la provende. Je retrouve chaque fois dans l'aube, au bistrot où j'étais allé le premier jour, toute cette bande de zèbres et de gonzesses glacés qui attendent le départ du premier car. Ils sont verts comme des malades, et les poules se sont mis du rouge à côté des lèvres plus que dessus. Ils se ratatinent dans des canadiennes et des vestes en peau de mouton. Ils tapent du pied. Ils vont mettre le nez cinquante fois à la vitre et frotter la buée pour voir si le car est sur la place, puis ils retournent au comptoir sucer un petit godet de café au cirage. Je ne sais pas si c'est parce que le lit les a dégorgés un peu tôt : ils sont rudement moches et ils sentent fort. Je ne sais pas combien il y a là-dedans de bons pères, bons époux et de couples unis, mais le plus clair, c'est que chacun d'entre eux donnerait tout le reste de la société pour un petit œuf de chaud entre ses cuisses. Sauf une femme, qui sent la dent cariée comme tout le monde, mais qui serre contre elle un petit lardon. Elle s'est découverte pour le couvrir. On ne lui arracherait pas son os!

Je viens ici exprès pour toute cette paisible chiennerie. J'ai besoin de naturel. Je fais les commissions du château chez les fournisseurs ; j'adore aussi le timbre des tiroirs-caisses. C'est mon chant d'oiseau. Chacun a besoin de se remettre de temps en temps le cœur en place et emploie des trucs. C'en est un.

Je vais aussi presque chaque fois chez l'Anita. Il y a toujours quelque chose à prendre ou à apporter. J'en ai vu des vestes et des jupes, des corsages et des pulls, et jusqu'à des culottes de soie noire. Je me demande ce que l'Anita peut bien cacher de particulièrement dégueulasse sous sa lotion à la violette ; une sorte de bombe atomique dont elle doit s'asperger au saut du lit. Ça sent depuis le palier. Je ne me le demande même pas ; après avoir fait tout ce qu'elle a pu (et ça n'est pas peu de chose) elle a dû décider que j'étais châtré.

Elle empaquette des trucs et je les porte. Un point c'est tout. Elle a beau me montrer sur toutes les coutures ce qu'elle met dans les paquets sous prétexte d'en prendre soin à l'extrême. Si la chose avait le moindre intérêt, je verrais nettement la femme du patron à poil, tellement l'Anita me passe sous le nez de combinaisons, de culottes, de soutiens-gorge : noirs, roses et même verts (elle m'explique que c'est pour aller avec le hâle), même rouge sang. C'est la première fois de ma vie que je vois un truc de ce genre-là, et je lui dis que ça fait boucherie chevaline. Total : je mets ça sur le siège de la camionnette, à côté de moi, et je rentre à la maison.

Le reste du temps, je trafique au milieu du vent et, ces temps-ci, au milieu du vent, de la pluie raide et glacée. Je vais me dégourdir les doigts au poêle du corps de garde. Il y a deux ou trois forestiers qui sont de bons zigues avec lesquels je dis deux mots.

Je fais le plein de la *buveuse de vent*. Je lui astique sa décapotable. Elle sort tous les jours et à découvert malgré la pluie. Elle sortirait à découvert dans le déluge. Elle a tout un attirail d'imperméables américains et de suroîts qu'elle se fourre les uns sur les autres, par-dessus ses jupes écossaises, ses vestes écossaises ou de laine blanche comme la neige, par-dessus ses culottes-combines et soutiens-choses en ratata noirs, verts ou rouges. Ça finit par lui faire une sorte de corps. Et la voilà partie. Elle va à D. ; ou au diable ; ou aux deux.

Là-haut, à sa vitre, le patron la regarde foutre le camp. J'ai acheté de mes sous à D. quatre jattes en terre et j'ai mis en pots pour ce type-là une trentaine d'oignons de crocus. Ils pointent bien déjà. Dans quinze jours il aura quelques fleurs à se mettre sous la dent.

Je ne sais pas pourquoi j'ai pensé aux crocus, mais c'est une bonne idée. Ça me réjouit moi-même. Je les chouchoute avec grand plaisir. Je bêche leur terre avec une vieille fourchette, je les arrose. A la pointe des bourgeons il y a déjà une trace de vert.

Un après-midi, vers deux heures, je suis en train de les soigner dans l'appentis derrière le garage ; il fait toujours un temps de cochon ; j'entends marcher. Deux pas paisibles côte à côte, un beau, large, avec des bottes ; un petit trot avec des talons Louis XV. Je n'ai pas le temps de faire comprendre que je suis là, et d'ailleurs, c'est moche, un type à barbe qui salive devant des oignons à fleurs. Je risque un œil et je me tiens peinard. C'est le patron et sa poule. Elle va à son engin. Elle tapote ses coussins. Elle tripote des trucs, ouvre son sac, cherche la clé de contact. Le patron est debout à côté d'elle, bien d'aplomb dans ses bottes, les jambes un peu écartées. J'ai un sentiment pour ce zèbre. Si je pouvais parler, je lui dirais : « Fous-lui ton pied au cul. » On sait toujours très bien démerder les affaires des autres.

Elle monte, s'installe et claque la portière. Il pose la pointe de sa botte sur le marchepied, il se penche. J'aime les cheveux gris de ce type et sa façon de cuire dans son jus. Il dit à la poule : « Vous me haïssez : vous allez enfin m'être fidèle. On ne peut pas tromper celui qu'on hait, parce qu'on ne veut pas, que ça n'est pas agréable. » Elle appuie sur le démarreur et je n'entends pas ce qu'il ajoute. Ses lèvres bougent encore sur deux ou trois mots, puis il la boucle. Elle sort en marche arrière, mais cette fois elle le regarde. Dehors, elle tourne et elle part. Lui aussi, avec le même pas que tout à l'heure.

Dès que je suis seul, je me dépêche de revenir à un endroit plus catholique. Il fait vraiment un temps de cochon. Ce pays sans pluie, c'est zéro ; avec la pluie c'est encore moins, mais on se débrouille mieux avec des *manques* qu'avec rien.

Un soir, avant de me fourrer au pieu, je vais à la porte

de l'artiste. J'écoute. Je demande : « Tu es là? » Il me répond : « Où veux-tu que je sois? » J'entre. Il est couché.

Qu'est-ce que je veux? Rien et tout. Comme d'habitude. Il me regarde d'un drôle d'air. C'est au sujet de la conversation de l'autre jour. Quelle conversation? Est-ce que je perds la boule ou est-ce que je suis saoul? Non, je ne perds pas la boule et je ne suis pas saoul : l'autre jour il s'est un peu dégonflé. Dégonflé? J'ai des visions. Qu'est-ce qu'il a fait pour se dégonfler? Il m'a parlé gentiment, s'il veut tout savoir ; il m'a parlé gentiment de ses combines aux cartes. J'aimerais bien qu'il me fasse quelques tours comme le jour où nous avons cassé la croûte près de la fontaine. Je ne demande pas la mort d'un homme? Pas la mort d'un homme! Qu'est-ce que je raconte? Ça n'a rien à voir. Justement, puisque ça n'a rien à voir, pourquoi faire tant d'histoires? Il me répond que ça n'est pas le moment, puis il me dit très gentiment que je vais me geler les burnes. Alors j'insiste et il me répond qu'il ne montre pas ses tours et la manière de s'en servir. Je lui dis très gentiment moi aussi que je me fiche de la manière de s'en servir, que je suis assez grand garçon pour m'en servir à ma façon et que, tout ce que je veux, c'est qu'il fasse ses tours pour moi, comme il a fait souvent jusqu'ici pour me distraire. Et je lui dis, bien en face, que j'ai bougrement besoin de me distraire. J'ai l'impression que ça la lui coupe. J'ai honte d'avoir le dessus et je mets de l'eau dans mon vin. Je ne suis pas fait pour gagner.

Je suis en bannière et j'ai juste mis une veste sur mes épaules. Il me dit que, si je tiens à me frigorifier, il n'y voit pas d'inconvénients, que tous les goûts sont dans la nature. Il a appris ce qu'il sait en tôle. Pour apprendre quoi que ce soit, il faut toujours un endroit où on ait le temps. Là c'est le rêve. Plus on est renfermé, plus on se renferme. C'est le cas. Qu'est-ce que tu veux regarder? Il n'y a rien à voir que des murs. On est seul pour se jouer sa petite comédie ; on va jusqu'au bout. Le bonneteau, par exemple, imbattable. Faire filer la bonne carte dans des endroits où tout le monde jurerait sur la tête de sa mère qu'elle n'y est pas, ça ne s'apprend pas en cinq minutes. J'y ai joué trois cents francs et je les ai perdus; j'en aurais joué cent mille, je les aurais perdus.

Je lui dis : « Montre encore un coup. » Il me répond : « Non, ce n'est pas le moment. » Et il ajoute : « Ce ne serait pas commode sur ce lit et je n'ai pas envie de me lever : il gèle. »

Je m'en fous qu'il gèle. Donc, d'après ce qu'il dit — et je le crois sur parole — (oh! dit-il, sur parole! Je t'ai fait le coup à ton nez et à ta barbe et tu n'y as vu que du feu!). Je le crois sur parole donc, il peut faire filer la bonne carte dans des endroits où personne ne la chercherait. Qu'est-ce que tu demandes, dit-il, je te l'ai prouvé, et je t'ai fait le coup sous le nez plus de vingt fois? Pour tirer trois cents francs à un type comme moi qui mise des clopes, il en faut des coups! Si ça ne me suffit pas, qu'est-ce qu'il me faut? Je dis que la question n'est pas là. Il fait filer la bonne carte, donc c'est qu'il y a une bonne carte? Il me demande si je ne suis pas un peu tapé ! Bien sûr qu'il y a une bonne carte ! Il y a toujours une bonne carte puisque c'est sur celle-là qu'on fait ponter le cave ; le tout est de la mettre où personne ne va la chercher.

Je vais dans ma chambre et je reviens après avoir passé un pantalon. Ce soir, il ne fait finalement pas trop la vache. Il me dit : « Tu te gèles ! Je t'avais prévenu. » Je réponds : « Ne t'en fais pas ; je suis un gars qui se réchauffe vite. » J'ajoute que j'ai un sang du tonnerre. Alors, il me demande comment je fais mon compte avec ce sang du tonnerre pour travailler chez les gens, sage comme une image. Il n'a jamais compris, là-haut dans la montagne, mon truc de rester au moulin. Et ici, qu'est-ce que je fabrique à ce château avec ma camionnette ? Lui, s'il était comme moi mécanicien ou chauffeur, il ne pourrait pas se contenter de ça. Je réponds que, moi non plus, je suis loin de m'en contenter ; que d'ailleurs tout le monde en est là ; que s'il entend quelqu'un raconter qu'il se contente avec des trucs de ce genre, il lui dise qu'il est un menteur. En réalité, mon vieux, nous sommes tous pareils. J'ai assez roulé ma bosse pour savoir ce que parler veut dire. Il n'y a pas cent façons de s'occuper ici-bas ; s'il y en a trois ou quatre, c'est le bout du monde. Nous sommes tous sur le même boulot. Il n'y a que la façon de le faire qui change. Et encore ! La plupart des types vont au plus facile. Il y a des tables de multiplication : deux fois deux quatre, deux fois six douze. On fait ça en série, les uns derrière les autres. Ça règle tout.

Je lui raconte un peu les histoires de D. : les phénomènes qui attendent le car du matin et l'Anita. Ça fait plus de cent petits bordels de quatre à cinq mille habitants que je connais. « Je te fiche mon billet que je n'ai pas trouvé une invention quelconque en quoi que ce soit. Tu as vu des tiroirs-caisses qui jouent *La Fille de Mme Angot*, toi ? Qui jouent la fille de l'air avec un inventeur, oui, mais dans les mains du propriétaire ça fait ding ! Un point c'est tout. Ils passent leurs jours à faire ça. J'aimerais avoir un orchestre de clarinettes dans un coin et, chaque fois que la clientèle me payerait la facture, je lui ferais jouer *Ramona* ou *Boléro*. Tu verrais leur gueule ! »

Il rigole. Il me dit : « Tu connais des chiées de trucs. » Je lui réponds : « Tu parles ! » Et on s'en paye une tranche.

« L'Anita, elle a beau se coller des barils de violette où je pense, elle n'en a qu'un comme tout le monde. » Il me répond : « Deux au grand maximum, et il faut qu'elle se débrouille avec ce qu'elle a. » Nous disons une sacrée volée de cochonneries bien raides. Ça fait entrer de l'air. Je pense à ma *buveuse de vent* et à son type qui a du gris perle sur le citron. S'il était là, il verrait les choses comme elles sont.

Mais je suis là et j'y vois goutte. C'est la première fois que nous ne nous cherchons pas chicane.

Il me dit : « Ils m'ont poissé un coup, mais je me suis promis de les baiser et je tiens parole. Ils m'ont foutu en cabane. C'est en cabane que j'ai appris à les baiser. Ils m'ont eu parce que, à l'époque, j'étais un pauvre minus, un trou du cul immonde. Maintenant, ils peuvent s'aligner ! »

A mesure qu'il parle il perd son souffle. Il était parti pour aller plus loin, mais il se tait. Il aspire le peu de salive qu'il avait au coin de la lèvre.

Je me dis : parlons du passé. Je le ramène en arrière, à l'époque où il était le roi des montagnes. Je remets sur le tapis cette fameuse soirée chez les types de là-haut. Qu'on l'ait battu (et même plus), je sais qu'il s'en fout. C'est même une preuve qu'on ne pouvait pas mettre fin autrement à ce qu'il est. Qu'on l'ait finalement jeté dans son sang, avec ses mains écrasées, près du pot de chambre de la mère Lantifle, qu'on ait été obligé d'en arriver là, c'est sa victoire. Du moins, je crois. Et je ne me trompe pas car il commence à saliver à mesure qu'il m'écoute. Il va redevenir insolent et salaud, ça ne va pas tarder.

Mettre fin ? S'il faut en arriver à le tuer pour mettre fin, c'est qu'il les a finalement baisés autant que Dieu le Père ; qu'il les a eus jusqu'au trognon. Qui n'aimerait pas qu'on lui mette fin comme ça ?

Je lui parle donc de la soirée chez Ferréol, et nous y sommes. Je vois qu'il est aussi à ces mille et mille soirées et journées de jeu qu'il a vécues depuis qu'il est sorti de tôle. Il dit que c'est lui qui a donné l'habitude aux types de là-haut de jouer sans plafond. Avant qu'il arrive, ils limitaient leurs pertes. Il ne faut pas limiter sa perte. Chaque fois qu'il a joué, avec qui que ce soit et à n'importe quel jeu, c'est la seule règle qu'il ait.

— Contre celle-là, tu ne triches pas ?

— Tu rigoles, dit-il, c'est moi qui la veux. Je ne triche pas contre moi. Tu me prends pour qui ?

Je le prends pour un petit gars marrant. Il ment comme un arracheur de dents. Ça doit être bougrement rupin de tricher contre soi-même. Je me suis à peine fait cette réflexion que j'aperçois son regard mauvais et sa bouche fleurie de pâquerettes.

Sans plafond, évidemment, ça donne de l'espace. Je sais ce que c'est, la vie sans plafond et même sans murs. Il y a toujours l'horizon. Et là, on bute.

J'ai rigolé de me savoir bouclé là-dedans. A quel point j'ai rigolé jaune, qui le sait? Sinon moi, qui suis maintenant en train de réfléchir dur comme fer à ce truc de tricher contre soi-même. Sur le coup, j'en vois les trente-six chandelles. Mais j'entrevois que, de ce côté, on peut aller jusqu'à perpette droit devant soi sans risquer de s'embarrasser les panards dans la stratosphère.

Peut-être que, jusqu'à présent (mais alors, bon Dieu de bois, c'est manque de réflexion, je vous le jure) j'ai cherché à limiter mes pertes.

Ce que c'est d'être né de père et mère connus! On se conduit comme un Poincaré par habitude et ça ne colle jamais avec les vrais besoins du troufion.

Je lui dis que j'ai vu toutes les finesses. De quoi? Bien entendu du jeu qu'il jouait chez Ferréol. Je ne parle pas d'autre chose.

Qu'est-ce qu'on voyait de ses mains? Ce qu'on voyait des mains de Ferréol, de Fil de fer, de Nestor et de son serviteur : des mains qui faisaient le geste de prendre une carte et de la jeter sur le tapis. Ce qu'elles avaient fait avant, ce qu'elles faisaient pendant et après : l'important, c'était invisible. Je m'extasie.

Il m'explique coup après coup. Toutes les combinaisons sont marquées dans son citron et je comprends à quel point c'est sa vie. Comment le roi est arrivé à point nommé, et comment l'as s'est trouvé enjamber le dix de pique le coup du gros pot ; et comment toute cette histoire était la conséquence de l'agilité invisible de son index exactement trois secondes avant, pendant que tout le monde avait les yeux fixés sur les cartes qui s'abattaient ; c'est maintenant clair comme le jour ; et je comprends qu'on ne pouvait pas plus s'en soucier que du fait qu'il respirait, parce que cela se faisait aussi naturellement, aussi simplement, aussi nécessairement.

On ne pouvait pas voir qu'il trichait, une fois qu'on avait vu qu'il vivait, on avait tout vu : le reste coulait de source.

Et qui aurait pu être assez mal informé pour se méfier d'une source semblable ? Pourtant, un soir, ils l'ont pris. « Ils jouaient gros », dit-il. Du fric, est-ce que c'est gros ? Si on le décide, c'est aussi gros que n'importe quoi.

Est-ce que c'est à la suite de ce que, moi, j'appelle une de ses *imprudences* (faute de trouver mieux), c'est-à-dire à la suite de ces tricheries décomposées au ralenti qui déjà, cette fois où j'étais avec lui, m'avaient fait froid dans le dos ? Il s'ajoute triomphalement une grosse pâquerette de salive au coin de la bouche. Il est ravi que j'aie vu ça. Je lui dis : « Tu jouais avec le feu. » Il me répond : « Naturellement ! » (Je retiens ce mot-là.) « Avec quoi veux-tu qu'on joue ? »

Non. Ce n'est pas à la suite. Ce soir-là, dit-il, il a été encore plus invisible que d'habitude. Alors ? Trop invisible : il fallait bien qu'ils trouvent un truc. De guerre lasse, ils l'ont accusé de tricher, au hasard. Et c'était vrai. Alors ils l'ont vu.

Tout de suite, il recommence à m'expliquer les coups. Fut un temps où il n'expliquait pas les coups. Il était debout près de la fontaine, plus roi de carte que les rois de cartes dans lesquels ses mains voltigeaient. Maintenant, ses mains sont à plat sur les couvertures et il parle. Il est, comme on dit, de ceux qui ne sont rien : il a tout à la langue.

— Dis la vérité : est-ce que tu peux encore te servir de tes mains ?

— Non. (Il n'a pas hésité. Il a dit ça bien gentiment.)

— Est-ce que tu as essayé ?

— Oui.

— Tu n'as pas décacheté mon paquet de cartes.

— Je m'en suis acheté un autre.

Il sort de dessous son traversin mon paquet de cartes encore intact dans son enveloppe cachetée, et l'autre usagé.

Je demande : « Qu'est-ce qu'on peut faire ? » Il me répond : « Je m'en occupe. »

Là-dessus, je vais me coucher et je dors comme un plomb.

Le lendemain, brusquement, il fait chaud. Le ciel est tellement couvert que je me trompe d'heure. A peine si j'ai le temps d'une toute petite politesse à Catherine, et encore parce que, pour la première fois, elle insiste. Je suis en retard. Je cavale comme un dératé.

Il n'y a pas de casse. Au château ils sont encore en plein cirage. Je suis obligé d'allumer les phares pour sortir et virer sur le terre-plein. Je ne les éteins que sur la route nationale où, d'ailleurs, au bout de cinq minutes, par précaution, je les rallume.

Les nuages sont bas à les toucher de la main. Je n'en ai jamais vu d'aussi noirs. L'allée de platanes qui m'accompagne jusqu'à D. n'en mène pas large.

La ville a son aspect de minuit. Pas un chat. Et, au-dessus des toits, ces tas de charbon qui, d'une minute à l'autre, ont l'air de vouloir s'écrouler.

J'ai juste le temps d'arriver à mon bistrot habituel. Il pète un de ces tonnerres qui me font de l'électricité dans les oreilles. J'entre en vitesse me mettre à l'abri.

Là-dedans, on y voit à peine le bout de son nez. Ils s'éclairent à la bougie. L'usine électrique a coupé le jus. Il y a toujours mes partants habituels, et qui sont en train de se dire qu'aujourd'hui ça ne va pas être drôle mais, contrairement aux autres jours, ils font comme s'ils trouvaient ça amusant. C'est la première fois qu'ils sont de bonne humeur.

Nous allons tous coller nos nez aux vitres parce qu'il est en train d'en tomber à seaux. C'est un spectacle. Tout d'un coup, c'est de la grêle raide comme une colère du feu de Dieu. Tout le monde pousse des cris. Les grêlons sont gros comme des billes. Ils vont me crever la bâche de la camionnette. Mais quoi faire? Ce n'est pas le moment de sortir.

Le tonnerre s'est remis en train. Il met tout son magasin de tôles à feu et à sang. Ça roule comme un express. Je n'aurais jamais imaginé qu'il y avait tant d'échos dans le pays. Où va-t-il les chercher? Si les gars qui sont dans les piaules continuent à dormir, il faut qu'ils aient vraiment la conscience tranquille! Il doit y avoir un sacré micmac dans les lits!

On s'extasie parce que ça dure, même, ça augmente. Il fait vilain à un point que j'ai rarement vu, mais tiède, et même, par moments, chaud. On se sent deux fois plus gros que d'habitude. Les poules parlent à tout le monde, même à moi. Je pense, je ne sais pas pourquoi, qu'il faudra me tailler un peu la barbe. Ça n'a évidemment aucun rapport, mais c'est comme ça.

Enfin, il en pète un qui nous enfonce les casquettes jusqu'aux oreilles. Et la grêle s'arrête comme si on l'avait fauchée. Je vais voir si je n'ai pas de dégâts. Non, mais c'est un miracle. On ne peut plus appeler ça des grêlons : il y a de quoi assommer un bœuf! Je mets une couverture sur le capot et je rentre à l'abri parce que, ce qui roule au-dessus des toits a vraiment une sale gueule. D'ailleurs, des gouttes larges comme des pièces de cent sous recommencent à claquer.

Le tonnerre n'est plus au-dessus de nous. Il fait le tour des environs. Qu'est-ce qu'il découvre de tous les côtés comme vallées profondes! J'étais loin de me douter qu'il y avait tant de ressources dans les alentours.

Les gens qui sont avec moi se demandent si le car partira malgré le mauvais temps. Les avis sont partagés et tout le monde prend beaucoup de plaisir à les partager. Ça frétille dur.

On souffle les bougies. Le jour a monté par la force des choses. Ce n'est toujours pas brillant. On reste entre chien et loup. Il continue à pleuvoir raide, avec des rages qui nous mettent constamment à deux doigts de la colère de tout à l'heure.

Enfin, voilà le car. Les gens y courent. Je me demande si mon type des tourteaux a mis le nez hors de ses draps de lit et s'il a ouvert sa baraque. Je me donne encore cinq minutes de congé, que je passe avec le garçon du bar, à son comptoir où, pour l'occasion, je m'enfile un rhum. Ce temps noir, ce tonnerre qui fait claquer ses placards et qui met en l'air tous les échos de ses vallées, ces éclairs qui partent des toits comme des vols de perdreaux, et même la pluie, ça fait fête. En réalité, je crois que c'est surtout la chaleur qui donne du regain et, en ce qui me concerne, le rhum que j'y ajoute.

Je déchante quand je mets les pieds dehors. La pluie, ça mouille. Je pars malgré tout au quart de tour. Je suis content de ne pas avoir de commission chez l'Anita ce matin. Il fait trop chaud. C'est fou comme c'est venu tout d'un coup. C'est pour ça qu'on l'apprécie tant, et aussi parce qu'au fond de ce chaud il y a le vieux froid qui n'a pas dit son dernier mot.

Tu parles! Avec la flotte qui tombe et ce que nous réserve le ciel qui est sur ma tête, ce serait le diable si le chaud durait. On n'est jamais que début mars.

Je suis obligé de me tenir à carreau pour conduire. Les rues sont des rivières. Malgré l'essuie-glace je ne vois pas la moitié de mes misères.

Le type des provendes a ouvert boutique. Il est même fort excité. Il ne tient pas en place. Il me raconte des histoires qui ne me regardent pas. Il rigole à chaque coup de tonnerre. Il me dit que cette fois c'est le printemps, et que ça en fout un sacré coup.

En fait de sacré coup, je m'en rends compte en retournant. Il fait noir comme dans un four. J'en ai plein les bras. Pour la première fois depuis des mois je mouille la chemise de sueur. Les essuie-glaces, les fameux balais à cyclone qui se baladent sur mon pare-brise, les superbes couche-typhons en caoutchouc chromé se balancent devant mon nez sans rien éclaircir, balayer ou coucher quoi que ce soit. J'y vois comme dans un aquarium une route qui se gondole. A chaque instant je suis obligé de me demander si c'est vrai. Je sors dix fois pour essuyer la glace par-dehors. C'est comme si je chantais. J'ai de l'eau presque jusqu'au chapeau de roue. Je commence à me dire que, si je reste là, il faudra qu'on vienne me dépanner en bateau. Finalement, je pisse sur un chiffon, je frotte la vitre et j'ai un peu de jour. Assez pour aller jusqu'à l'embranchement.

Là, merde, c'est un lac! Je n'ose pas me lancer là-dedans. Je me range contre un tas de gravillon des ponts et chaussées et je me dis que je vais essayer de tenir le coup. La route qui monte chez nous est comme les chutes du Niagara. Le pays est sens dessus dessous et les éclairs n'arrêtent pas de lui voler dans les plumes.

Je bourre une pipe et je me tire au milieu de ma cabane parce que le joint des glaces crache comme un avocat. J'ai laissé le moteur en marche.

Je reste là une bonne demi-heure, puis la bourrasque va s'occuper d'un autre endroit en laissant ici en sentinelle une petite pluie de derrière les fagots. Mais celle-là, on en est maître. J'attends que le lac se soit un peu écoulé. Je me lance au pas. Je traverse et j'entame la montée.

Notre route communale en a pris un bon coup. Le père Burle a du pain sur la planche ; jamais il ne s'en sortira. C'est raviné sur trente centimètres de profondeur. J'ai l'impression d'être sur un torpilleur par gros temps.

Le gros temps en tout cas est là. Du côté du château et du village, c'est noir comme de l'encre. Les roulements de tonnerre ne cessent pas, et à chaque instant le ciel se fêle en long et en large comme une assiette sous un coup de marteau.

J'arrive au milieu du mauvais qui recommence On me dit qu'on était inquiet. Il y avait de quoi. Ici d'où l'on surplombe, on voit des kilomètres de catastrophes qui ont l'air de se concentrer sur nous. Ailleurs, on doit avoir la même impression, mais ça n'arrange pas nos affaires.

Vers midi, je profite d'une éclaircie de rien du tout pour filer bouffer là-haut. Je me suis tâté dix fois pour m'y décider. J'avale la montée en un rien de temps, la grêle au cul et je fais une entrée réussie au bistrot. Je suis incapable d'avaler un brin d'air pendant une bonne minute. Je me vois dans la glace rouge comme un coq et les yeux hors de la tête, pendant que Catherine rigole et me flanque des tapes dans le dos.

Nous mangeons tous les trois avec elle et l'artiste pour la première fois loin du poêle. On a du ragoût de riz. Catherine me verse des rasades à n'en plus finir parce que, dit-elle, le riz naît dans l'eau et veut mourir dans le vin. Ça me met dans un état très agréable. Je trouve que ce temps met pas mal de variété dans les choses et que, somme toute, le monde est bien fait.

Il se trouve que je peux redescendre au château entre deux averses sans prendre les jambes à mon cou. Une fois au garage, je vais voir mes crocus. Ils pointent ferme.

Le tonnerre ne cesse pas, de tout le jour, de sauter de côté et d'autre comme un chien dans un jeu de quilles. Sur le soir, pendant qu'il continue, le ciel s'ouvre d'un seul coup du haut en bas. Apparaît un large espace bleu. Des arcs-en-ciel jaillissent de terre.

Nous sommes quatre ou cinq à profiter de l'aubaine sur la terrasse. On ne sait plus où donner de la tête pour s'en foutre plein la lampe. On se dirait aux feux d'artifice. Nous crions à la belle bleue, à la belle verte à mesure que le soleil qui se couche lance des feux de tous les côtés, comme un poulain qui se baigne.

Mais la foudre tombe à cent mètres devant nous sur un chêne. Nous galopons abasourdis vers le corps de garde, dans des décombres détruits. J'en reste sourd cinq minutes. J'ai la bouche pleine de phosphore comme si j'avais sucé des allumettes. Quand nous cessons de voir trente-six chandelles, le ciel s'est fermé à un point qu'il est impossible d'imaginer un soleil quelconque.

La nuit tombe. A chaque éclat nous voyons le corps de l'orage de plus en plus épais qui tourne au-dessus de nous comme un nuage de corbeaux. Qu'est-ce qu'il y a comme tam-tam dans l'atmosphère! Et des coups de rouge qui en soulèvent des discussions là-haut! A n'en plus finir. Ça n'a pas l'air de s'arranger. Au contraire!

J'attends cependant mon heure et je file comme un

dard au village. Mahomet éclaire le chemin avec des phares qu'il a oubliés de mettre en code. Je risque cent fois de me casser la gueule.

D'habitude le bistrot est vide. Ce soir il est plein de monde. Et tout ça a l'air d'être sur pied pour un pique-nique. Tout a été si épastrouillant que j'ai oublié de me rendre compte qu'il continue, malgré la nuit, à faire tiède, même chaud. Tout le monde s'est mis à boire de l'anis. Ça fait été à un tel point que j'étouffe. Je m'en envoie deux, coup sur coup, avec l'artiste.

Je vais faire un tour à la cuisine. Catherine se marre comme une bossue. Elle est fraîche comme une rose ; la rougeur lui va bien. Un rien la chatouille. J'adoucis les basses et je retourne déguster.

Dehors, ça ne cesse pas de monter de ton. Et ici dedans ça se met à l'unisson à un point qu'on n'entend plus les tonnerres. J'ai une envie folle de couper ma barbe. Je le dis à Catherine. Elle s'esclaffe. Elle m'apporte des ciseaux et tout le monde se met de la partie. Je commence à me la couper à la rigolade : je fais Richelieu et Napoléon III. On m'en réclame des bouts et je la distribue. Finalement, l'artiste va chercher du savon et un Gilette. Je me barbouille; c'est l'occasion de coller de la mousse sur tous les becs et de faire un chahut qui nous rassure.

Je vais me terminer à la cuisine ; il n'y a pas un rasoir qui garantirait sa sûreté au milieu de ces zèbres qui se foutent des ramponneaux à défoncer les armoires. Je me débarbouille à l'évier. Je sors de la cuvette lisse et net, avec mon menton volontaire, ma bouche mince et dure dévoilée, ma gueule de printemps.

— Ce que je t'aime comme ça, dit Catherine.

Elle m'étrenne et resterait plus volontiers à ce truc-là (moi aussi) qu'au bistrot où il faut retourner si j'en juge par le boucan.

Nous soupons vite, sur le pouce, pas tres intéressés par la mangeaille. Intéressés surtout les uns par les autres : par ceux qui entrent et sortent sur des coups de tonnerre et des éclairs. On entend la pluie chaude qui fait vacarme sur les toitures, dans les chéneaux, contre les vitres où elle vient frapper si fort qu'on a peur qu'elle finisse par les crever.

Le bistrot ne désemplit pas. Je vois des gars que je n'avais jamais vus. Ils avaient dû rester jusque-là autour de leur poêle, sans sortir. Ils arrivent. Ils ouvrent leur porte-monnaie, ils se payent un anis ou deux et ils regardent leur verre comme si c'était le messie.

Je demande à Catherine où est passé son mari qu'on ne voit pas. Elle me répond qu'il ne faut pas compter sur lui. Alors quoi ? Elle me dit qu'il a sa passion et qu'il s'en contente. Il est parti surveiller les parcs à faisans dans les collines. Elle l'a vu tout à l'heure prendre son ciré et sortir. Il ne rentrera pas de la nuit.

Je l'imagine tout seul dans un bled, à sept ou huit kilomètres, en train de se glisser à travers les taillis de chênes verts, comme un scarabée avec son imperméable noir, sous les éclairs, les tonnerres et la pluie.

On commence à jouer à la belote. On propose à l'artiste de faire le quatrième. Il dit oui et s'assoit à une table.

Moi, comme chaque fois à cette saison, je fume une pipe ou deux, très amères.

Nous allons finalement tous nous coucher. Nous avons épuisé tout ce qu'il y avait à faire. L'orage continue, ou plutôt on ne peut plus appeler ça un orage : le temps continue. Il ne se fatigue pas. Au moment où je me fourre dans mes draps, il est toujours en train de forger on ne sait pas quoi, à coups de marteau, sur le pays. Tout étincelle.

Je m'endors ; pas longtemps. Je me réveille. Je vais voir Catherine.

Je suis cependant debout bien avant l'heure. Il pleut toujours. J'ai déchiré mon imperméable américain hier soir, en revenant du château. Je suis en train d'y mettre un point quand Catherine descend. Elle allume le poêle, met le café en train et me prend le travail des mains. Elle est toute tendre.

Nous faisons des projets, gentils, sans aucune importance ; simplement à cause des tonnerres qui continuent à rouler dans le lointain, en ébranlant les vitres de la fenêtre. Je suis en train de penser à toutes ces vallées profondes, larges, ouvertes, où la foudre circule. Catherine aussi, de son côté.

J'arrive au château, trempé comme une soupe. Je me fais sécher près du poêle. On me demande ce que j'ai fait de ma barbe. Il a cessé de tonner, mais il pleut à torrents et le ciel est tellement noir que je pars encore avec les phares.

Au retour de D. le patron me convoque. La cuisinière m'a préparé un casse-croûte. Il me faut repartir tout de suite et je ne rentrerai pas à midi. Il s'agit, pour faire vite, de transporter, par la route, quatre gardes à quatre endroits qu'il me montre sur la carte. Du point où je les déposerai les uns après les autres, ils iront inspecter les parcs pour voir comment les bêtes ont supporté l'orage.

Lui file devant avec sa moto. Il me prévient que la route est mauvaise. En fait, c'est un chemin de terre, mais je suis content d'avoir quelque chose à faire. Il ne tonne plus. La pluie est lourde, chaude. Elle ne cesse pas. On dirait qu'elle est partie pour durer toute une vie.

Je rentre seul à la nuit après m'être décarcassé tout le jour dans la mouscaille. On est allé dans des endroits perdus. Il a fallu, à diverses reprises, riper la camionnette qui donnait de la bande vers les ravins et fourrer de la ramure sous les roues qui patinaient.

Je suis encore à deux bons kilomètres du château quand dans mes phares, je vois le patron debout, à côté de sa moto. Qu'est-ce qui lui est arrivé ? Peu de chose : il a de la gadouille jusqu'aux yeux ; ses roues coincent dans le garde-boue. Nous chargeons son engin dans la camionnette et lui monte à côté de moi.

On dit quelques mots sur la pluie et le beau temps.

En rentrant il vient avec moi au corps de garde. Nous sommes tout étonnés de le trouver plein de monde. Il est arrivé, paraît-il, une drôle d'histoire au village. On a étranglé la vieille Sophie ! On se demande tout de suite pourquoi ? Elle n'a pas le rond : elle vit de deux chèvres, et elle a quatre-vingts ans. Ce n'est pas possible. Cependant si.

Je monte au village. Le patron me dit : « Attendez-moi. » Il m'accompagne.

Il y a déjà les gendarmes et l'auto du docteur. On nous

dit qu'elle n'est pas morte. Tout le village est sur pied ; c'est une histoire du feu de Dieu.

Nous entrons chez Catherine, le patron et moi. Là, j'apprends que l'assassin, c'est l'artiste. Le père Bertrand qui marchait tête baissée à cause de la pluie l'a tamponné sur le seuil de chez Sophie, vers les quatre heures de l'après-midi. Ils se sont vus nez à nez. L'artiste était nu-tête et il est parti en courant sans dire un mot.

Sa casquette arrive au bout d'un moment aux mains d'un gendarme. Celui-là me demande si je la connais. Je dis oui. Elle était à côté de Sophie. On a déjà perquisitionné ici. On me montre son couteau à cran d'arrêt qu'il a laissé, et les deux paquets de jeu de cartes ; le mien toujours intact. L'autorité me demande si l'artiste vivait des cartes. Je dis oui.

Il s'appelait en réalité Victor André, né à Alger, de père et mère inconnus.

Mon patron parle à l'autorité qui, avec lui, n'en mène pas large et après, elle me fout la paix.

Arrive le docteur. Il annonce rondo que Sophie est morte. « Plutôt de saisissement que d'autre chose », ajoute-t-il. Le type n'était même pas capable d'étrangler un poulet. Tout le monde est d'accord pour dire que, n'empêche, c'est un assassin. « Un fou », dit le docteur ; il n'y a pas l'ombre d'un *mobile*.

Les routes sont gardées. On a déjà téléphoné. Il doit être dans les collines. « Il peut encore faire du mal », dit-on. Il y a des fermes perdues où, avec ce temps, s'il frappe on le fera entrer. Je fais remarquer qu'il a laissé son couteau. On ne me regarde pas tout à fait de travers, mais pas tout à fait d'aplomb.

On raconte l'histoire d'un type qui, en 1912, dans la région, en a tué sept à la ferme des Richard. Et ça n'était pas un type très costaud, ni armé. Il les a tués à coups de trique ; probablement parce que lui aussi était fou. Ça lui avait rapporté vingt-trois francs. On l'a guillotiné à D. Le gendarme, qui fume de pluie comme un cheval, n'est pas pressé de sortir. Il décide pourtant qu'il faudrait faire une battue.

Ça ne tombe pas dans l'oreille d'un sourd.

Mon patron me touche le bras et me dit : « Venez! » Il me ramène au château. Il me fait monter dans la grande pièce où je l'ai vu pour la première fois.

Il tire ses bottes et il met des pantoufles. Il bourre une pipe ; moi aussi.

Il me demande si c'était un bon copain. Je lui réponds que je ne sais pas très exactement ce qu'il était. C'est curieux, mais je m'en fichais. J'ai appris son nom tout à l'heure.

D'après le patron, il faudrait que j'aille participer à cette battue.

— Je vous ai amené ici pour vous y décider.

Je comprends la phrase après coup et, au lieu de lui déclarer que j'étais déjà décidé, je réponds : « D'accord!

— Je vais vous obliger à prendre un fusil », dit-il.

Je ne réponds pas.

— Je sais que vous n'en voulez pas. Vous refusez. Et c'est moi qui vous oblige.

Je dis : « Vous comprenez, c'est un copain ; je ne vais

pas le bousiller parce qu'il a fait une connerie, d'autant plus que la vieille a passé finalement l'arme à gauche tout à fait pour d'autres raisons. »

Il m'écoute attentivement. Il quitte le ton théâtre.

— Ce que vous venez de dire est excellent, murmure-t-il.

Il va à un placard. Il en sort un hammerless à deux coups. Il me le donne et je le prends.

Je fais remarquer :

— Je ne sais même pas si elle est chargée.

— Moi non plus, dit-il. Quand vous êtes parti dans la nuit pour vous joindre aux autres (qui sont armés de leur fusil de chasse, soyez-en sûr) après que mes insistances vous aient forcé à le faire, je vous ai également obligé à emporter cette carabine comme j'aurais obligé un ami à prendre un parapluie. Nous n'avons pensé à rien, ni vous ni moi. Peut-être moi, ai-je pensé à une garantie morale. Juste au moment de partir. Instinctivement. Parce que je vous apprécie. Que j'ai beaucoup d'estime....

Je dis : « C'est le moment de partir. »

Et je le fais.

Je suis sur la porte quand j'ajoute :

— Je vous les donnerai demain, de toute façon, mais il y a trois pots de crocus pour vous au garage, derrière la touque d'essence.

— Je sais. Vous me les donnerez à votre retour.

Je remonte au village. Sur la place, ils sont encore cinq ou six rayés de pluie, avec leurs lampes tempête. Je les entrevois en train de prendre les champs, en direction du plateau. Je vais essayer d'un autre système.

Je passe devant la maison de Sophie et je continue. C'est par là qu'il a cavalé. Au bout de la rue, on arrive sur des aires adossées d'un côté au flanc qui monte vers les collines et surplombent les pentes qui descendent dans un ravin.

S'il a cru avoir tué la vieille, il a pris par le haut. S'il s'est rendu compte qu'il n'a même pas pu y arriver, il a pris par le bas. Je me sers du fait qu'il courait en sortant de faire son coup. Je prends par le bas.

Je n'ai pas besoin de lanterne, au contraire, je me laisse aller comme un plomb. Je mets assez longtemps avant d'arriver au fond. Les taillis sont épais. Je ne m'inquiète pas du bruit que je fais : le bruit de la pluie le couvre. Et il n'est certainement pas resté dans ces taillis. Je ne m'inquiète pas de la pluie non plus. Ni du ruisseau qui est en bas, que je traverse. Et je prends pied sur un petit chemin.

Je m'oriente. C'est assez difficile. J'y arrive en entendant sonner le clocher. Qu'est-ce qu'ils font là-haut? Est-ce qu'ils seraient assez bêtes pour avoir recours au tocsin? Non, c'est une bénédiction quelconque. Elle me guide. Par rapport à moi, la route nationale est du côté du village. Je n'ai qu'à aller en sens inverse. C'est sûrement par là qu'il a pris.

Je suis assez satisfait de constater que, dans la direction que j'ai décidé de suivre, le chemin monte doucement. Il a dû être satisfait de le constater, lui aussi, après être arrivé ici au fond avec, d'un côté, la route nationale qui a dû lui faire horreur, et ce petit chemin forestier qui monte *tout doucement*.

S'il a pensé que les gendarmes feraient surveiller la route nationale (et je ne crois pas qu'il y ait pensé) cela n'a pas dû fortement l'impressionner. Au point où il en est, les gendarmes ne comptent pas. Ce qui compte c'est ce chemin. L'artiste avait sûrement besoin de monter quelque part sans fatigue.

Je comprends très bien ce qu'il a fait. Je suis dans sa peau. Il n'a pas dû rester plus de cinq minutes cramponné au cou de Sophie, à essayer de faire obéir ses doigts. La tête pleine de choses magnifiques (pas du tout *à la portée de tout le monde*) et rien pour les mettre à exécution. Obligé désormais de se faire croire sur parole! Il est sorti en courant avec l'idée de se précipiter dans n'importe quoi, à condition qu'il y tombe de son propre poids. (C'est pourquoi certains types — et surtout des femmes — se jettent du haut des ponts dans des rivières. Ce n'est pas à la rencontre de l'eau qu'elles vont : c'est vers tout ce qui leur manque. Elles savent bien que ce n'est pas dans l'eau, *au contraire*, mais comment résister au plaisir d'aller enfin vers n'importe quoi, sans effort, de son propre poids? Ce qui est chouette, c'est le temps qu'on met à tomber du pont.)

Une fois en bas, le plaisir est fini ; on voudrait remonter. C'est trop tard. L'artiste a eu toute sa vie de la chance. Et cette fois encore il en a eu. Je suis bien content pour lui.

Il s'est jeté dans la pente du ravin, à travers les taillis. S'il faisait jour, s'il n'y avait pas cette sacrée pluie nocturne, mais seulement un peu de lune, je parie que j'aurais vu ses traces. Il a dû se laisser rouler comme un sanglier devant les chiens. Et il a atterri sur le chemin où je suis.

Une fois là, il s'est retrouvé vivant. (Ça compte ; on a beau dire et beau faire : c'est un type verni. J'éprouve un très grand plaisir à imaginer qu'ici même, *après tout*, il a bien *profité de la vie*. Il a eu un bon moment de trente secondes. Qui peut se flatter d'en avoir eu plus, ou même autant? Je parle de ce qu'un homme digne de ce nom appelle un bon moment.) Règle générale, on est dupe toute la vie à courir après ces bons moments-là. Il en a eu un. Je suis content pour lui.

Et content de sentir, pendant que je m'avance à tâtons, que le chemin continue tout doucement à monter (il n'a pas pu résister à ça : impossible) et qu'en outre, c'est un chemin pierreux, sans boue aucune, une échelle de Jacob pour rupins. Il est soigné, le gars. C'est pour dire que le dieu de nos pères n'abandonne jamais ses créatures.

Je monte, moi aussi, à sa suite. Certainement pas avec les mêmes compagnons que lui. Sans bannière ni musique. Je suis obligé d'écouter tous les bruits et d'en tenir compte. Non pas que je croie le trouver brusquement devant mes pas. J'espère bien qu'il a fait de la route. Mais, à travers le bruit de la pluie dans les feuilles sèches des petits chênes blancs (un bruit semblable à celui des vers à soie en train de manger les feuilles de mûrier avant la mue, dans les magnaneries) à travers le bruit de la pluie, moi, qui monte simplement par réflexion et combine, je guette le bruit du ruisseau dans lequel il ne faut pas que j'aille me casser la gueule.

Nous, nous n'avons pas les mêmes compagnons. Nous n'avons plus les mêmes compagnons. Je sens l'odeur d'un bosquet de pins sous lequel je passe, et j'entends le souffle étouffé de la pluie dans ses ramilles. Cette odeur et ce ronron de chat étaient là quand il est passé mais, comme il a dû s'en foutre! Comme ce devait être le dernier de ses soucis! Je n'ai pas mes yeux, moi, dans ce noir, mais j'ai mon nez et mes oreilles. Je suis toujours en communication avec ici-bas. Je n'ai rien fait pour qu'ici-bas soit relégué aux trente-sixièmes dessous. Je ne peux même pas savoir ce qui est venu prendre à côté de *lui* la place du bosquet de pins qui ne sentait rien, qui ne bruissait pas, de la pluie qui ne mouillait pas, ne crépitait pas dans ces étendues désertes de chênes blancs qui n'existaient pas. Il n'est plus dans la même nuit que moi. C'est tout ce que je sais. Y a-t-il des bosquets de pins dans la sienne? Ou quelque chose qu'on puisse appeler de ce nom-là? De la pluie, ou quelque chose d'approchant? Qu'est-ce que ça sent? Qu'est-ce que ça fait? Je ne peux pas savoir à quoi ça peut ressembler. S'il n'était qu'une tête dans laquelle tout ce qui ne ressemble à rien de ce que je connais se reflète désormais, que tout cela dirige désormais, ce ne serait pas la peine d'essayer de le rattraper. Personne ne pourrait le rattraper. Mais il a un corps, des bras et des jambes, et tout ce que je peux imaginer, c'est la façon dont il va être obligé de se servir de ces ustensiles, de ces outils qui ne servent qu'à un usage bien défini. Eux ne peuvent rien faire d'autre que de rester ici-bas. Ils ne marchent pas dans sa combine. Le drôle, c'est qu'il y a six mois, ses mains en savaient plus que sa tête ; maintenant c'est le contraire. C'est d'ailleurs ce qu'il a voulu. Et c'est avec ça qu'il faut que je me débrouille.

C'est ainsi que j'arrive sur le plateau. J'en suis prévenu par ce coup de contrebasse de l'espace, par les milliers de pluies qui piétinent ici dessus librement.

J'aperçois, loin sur ma gauche, quelques lanternes. Puis il s'en découvre d'autres. Ils sont tout de même arrivés à cet endroit-là, eux aussi. Il faut dire que, jusqu'ici, c'est facile.

Je les regarde faire quelque chose de tout à fait idiot : c'est-à-dire s'avancer en ligne de bataille. Ils s'imaginent être à Valmy. Nous sommes loin de la France et de l'étranger.

Je ne les perds pas de vue. Ils ne savent pas qu'ils sont en train de faire quelque chose de très important. Ou plutôt si, ils en sont persuadés. Ils sont fiers comme Artaban. Ils ont le doigt sur la gâchette. Ils veulent venger la mort de la vieille andouille. Quand elle était vivante, ils ne lui auraient pas donné une assiettée de soupe. Maintenant, ils sont résolus et graves parce qu'ils sont en train de s'occuper d'eux-mêmes. Ils ne donneraient pas leur place pour un boulet de canon. Ils sont loin de se douter de la chose importante qu'ils font.

Je n'ai qu'à fuir devant eux pour aller dans la même direction que l'artiste.

Je suis sûr que les gendarmes sont en train de leur faire prendre des formations savantes en nasse ou en filet à poissons. Qu'est-ce qu'ils croient avoir à prendre ? Un filtre de papier gris aurait encore la trame trop grosse.

Ils ne se rendent pas compte que l'artiste est arrivé ici à la fin du jour avec des mains *inexistantes*. Et que la nuit est tombée là-dessus. Que peuvent lui faire quelques lanternes de plus ou de moins ? S'il fout le camp de l'autre côté, c'est que l'ombre et le noir lui promettent plus et lui donnent à chaque pas.

Ce qu'ils sont en train de déployer sur le plateau avec des lenteurs d'ânes, c'est un filet à madrague, un filet pour les thons, les grosses pièces. Mais mon artiste, en temps normal, qu'est-ce que c'était déjà ? Un souffle, un rien. Je parie que ce n'est pas le gros Nestor ni Ferréol et ses quatre-vingt-dix kilos qui lui ont écrasé les mains dans la montagne, mais très probablement Fil de fer en tout et pour tout ; le léger Fil de fer. Les trucs avec lesquels les hommes font leur bonheur, pas besoin de marteau-pilon pour en venir à bout. Et ceux qui ont tout perdu, quel papier-filtre en ramassera la goutte qui *compte encore* ? Si c'est celle-là que vous voulez, mes beaux messieurs, mais je vous fais l'injure de croire que pas un cheveu de votre tête n'y pense. Alors, chargez, lanterne au poing et doigt sur la gâchette, tant qu'il vous plaira, pour le palmarès des journaux quotidiens.

J'ai d'autres chats à fouetter sur cette lande rase, moi qui suis pourtant obligé de guetter le bruit qui se fait et le bruit que je fais (le moment n'est cependant pas encore venu d'épier le bruit d'une respiration haletante), je vous perds en un rien de temps. La pluie vous couvre et vous efface, puis la nuit vous ensevelit.

Voilà un beau moment. Je suis payé de mes peines. Nous sommes seuls, l'artiste et moi. Chaque pas me rapproche de lui ; je sais que nous allons régler cette affaire à l'amiable.

Je marche d'abord assez vite dans une direction générale. Je n'ai plus à me méfier, comme dans le ravin, de mettre le pied au hasard un peu à droite ou un peu à gauche ; le sol porte de tous les côtés. Mais il me manque les indications que me donnait la pente du chemin, ce besoin de monter si attirant que je suivais comme un chien à la piste. Ici, il n'y a plus rien de précis.

Comme il a dû être heureux d'arriver enfin à un endroit où il n'y avait plus rien de précis.

J'entends brusquement quelque chose de suspect devant moi. C'est un peu plus bas qu'à hauteur d'homme. La pluie frappe sur je ne sais quoi qui est en travers de ma route. Je m'arrête. J'écoute. Je rage contre le bruit que la pluie fait sur moi. Il me semble qu'il doit retentir, qu'il m'annonce en oubliant de dire l'essentiel. Je suis là, c'est entendu, mais je suis là, bon comme le pain.

La chose en face a l'air de s'en foutre. J'ai peur. Si c'est lui, ses nouveaux compagnons l'ont-ils changé en pierre ou en arbre ? Est-ce le sort de ceux qui n'ont plus de chez-soi ici-bas ? J'ai peur qu'il ait disparu à ce point.

Je m'approche. Je *prends sur moi* de tendre la main le premier. C'est une barrière de bois sur laquelle la pluie frappe. Je la caresse. Je la flatte de la main comme un patron flatte son chien.

Je mets un nom connu sur ce qui est devant moi, avec des gargouillements de chevaux, le crépitement d'un toit de tuiles sous l'averse. Je sens une très légère odeur de fumier délavé. C'est une maison.

J'en fais le tour ; j'en touche le mur. J'arrive devant l'encadrement doré d'une porte. Je ne bouge plus, comme un oiseau devant le serpent.

Il faut me laisser le temps de revenir de très loin. Je ne peux pas comprendre le point de vue de ces gens-là tout de suite.

Enfin je frappe. On m'ouvre et je dis ce que j'ai à dire. Un enfant tousse au fond de la pièce illuminée de rouge par une simple lampe à pétrole. Je m'en vais pendant qu'ils se barricadent et qu'ils éteignent.

Je marche vite. Cette porte me gêne dans mon dos. Je m'en fous.

Comme le plateau serait beau sans moi, cette nuit-ci!

Je compte trop ; mon imperméable américain crépite comme une tôle sous la pluie. J'ai l'air de promener le saint sacrement. Et ce n'est que moi. Animé de bonnes intentions, mais il n'y a pas de quoi en faire une histoire.

Je cherche un corps étranger. C'est la première fois de ma vie.

J'ai déjà trouvé la maison. Longtemps après, j'en trouve encore un. Ce n'est toujours pas le bon. C'est une vallée. J'ai traversé le plateau dans le sens de la largeur ; je suis sur l'autre rebord.

J'écoute la pluie parler des arbres qu'elle rencontre en bas. Elle piétine sur une route et frappe sur des toitures. Elle fait silence sur des éteules, des champs labourés, des prairies. Elle gronde sur des hangars. Elle remue les jardins comme une bêche. Je sens l'odeur des vieilles feuilles de choux qu'elle déterre.

Je me détourne de ça comme il s'en est détourné. Je reprends la marche en sens inverse.

Finalement, je trouve ce que je cherche.

J'ai d'abord entendu devant moi un espace sur lequel la pluie parlait gravement. Je me suis approché pas à pas. J'ai compris qu'il y avait là un creux, une sorte de bol dont j'ai fait le tour, où la végétation était plus épaisse et plus haute. J'ai senti l'odeur des genévriers, des lauriers sauvages, des noyers ; des essences à sève noire. Je suis d'abord resté longtemps immobile jusqu'à ce que la pluie, tombant sur moi, se mette aussi à parler d'une voix grave. Tant que je n'ai pas eu la certitude de faire partie de cet endroit, je n'ai pas bougé de place. Puis, je suis descendu dans le bol. Mais, Dieu lui-même devait m'admirer.

Je me suis approché du premier buisson jusqu'à le toucher, je suis entré peu à peu dans ses branches. Si lentement que pas une n'a fait de bruit.

L'imperméable américain est devenu comme ma peau : sensible et prudent. C'est ainsi que j'ai traversé le premier buisson (c'était un genévrier) et me suis approché du deuxième. C'était une touffe de rejetons de noyers qui avaient poussé autour d'une vieille souche. Je l'ai traversé insensiblement.

Je prends des précautions autant pour lui que pour moi. J'ai toujours été timide. Je n'aime pas déranger les gens. Si c'est un chic type, encore moins.

L'odeur des taillis est forte et amère, mais je connais bien l'odeur de sa veste mouillée. C'est celle que je cherche.

J'écoute aussi. Le laurier sifflote, le genévrier pétille,

le noyer claque, la pluie murmure sur le plateau. C'est un concert comme il y en a un dès qu'un homme est quelque part. Dans la maison là-bas, il y avait le ronflement du poêle, l'enfant qui toussait, un craquement de lit dans l'alcôve. Si je ne me trompe pas, il doit y avoir, tout près de moi, dans un rayon de cinq à six mètres, un corps étranger silencieux.

Et je me trompe. J'entends quelqu'un qui respire. C'est beaucoup plus compliqué que ce que je croyais.

Je reste longtemps immobile. C'est la respiration de quelqu'un qui court. Je ne peux pas croire que c'est la sienne. Cependant, je sens l'odeur de sa veste mouillée et j'entends même le bruit de la pluie sur cette veste.

Je reconnais absolument tout. Il n'a pas changé.

Je ne bouge pas. Il est à trois pas devant moi. Nous faisons ensemble la balade la plus extraordinaire. Il refait cent fois le chemin du village ici. Il étrangle cent fois la vieille andouille. Il la manque cent fois, court dans la rue, se jette dans le ravin, halète dans le chemin qui monte, court sur le plateau, va buter contre les lanternes, va buter contre la maison, va buter contre la vallée, vient se glisser sous les taillis amers. Et sans me fatiguer, je l'accompagne. S'il avait le temps d'écouter, il m'entendrait haleter près de lui, mais il n'est pas plutôt couché ici sous les lauriers qu'il repart, qu'il retourne au bistrot de Catherine, qu'il en sort, ferme la porte, traverse la place, s'engage dans la ruelle, monte chez Sophie, se précipite sur elle. Je l'étrangle avec lui. Puis de nouveau, il sort, tamponne le père Bertrand, court dans la rue, traverse les aires, se jette dans le ravin comme du haut d'un pont, atterrit en bas sur le chemin, bute sur les arbres paisibles, les pins qui s'épanouissent dans la première pluie tiède du printemps, les forêts de chênes blancs qui ont perdu leurs feuilles mortes sous l'averse et soulèvent précisément au bout de branches énormes de minuscules bourgeons verts. Je cours à trois pas de lui, de toutes mes forces. Je ne bouge pas. Lui non plus. Nous tournons sans arrêt dans un bol amer fait de terre, de genévriers, de lauriers, de buis et de tout ce que nous avons fait, le refaisant sans cesse, avec une envie de dormir irrésistible.

Et je m'endors, debout, adossé à un baliveau.

C'est moins le jour qui me réveille que son regard fixé sur moi. Les jours d'amour sont meilleurs que les nuits d'amour. Il ne bouge pas pendant que je me prépare. Je lui lâche mes deux coups de fusil en pleine poire. Je les vois faire mouche.

C'est beau, l'amitié!

J'ai été finalement félicité par les gendarmes.

Tout de suite après, je liquide la situation en vingt-quatre heures.

Catherine est tendre mais convenable.

Je descends à pied vers la route nationale. J'oublierai celui-là comme j'en ai oublié d'autres. Le soleil n'est jamais si beau qu'un jour où l'on se met en route.

DU MÊME AUTEUR

Aux Éditions Gallimard

Romans — Récits — Nouvelles — Chroniques

LE GRAND TROUPEAU. (Folio nº 760)

SOLITUDE DE LA PITIÉ. (Folio nº 330)

LE CHANT DU MONDE. (Folio nº 872)

BATAILLES DANS LA MONTAGNE. (Folio nº 624)

L'EAU VIVE.

UN ROI SANS DIVERTISSEMENT. (Folio nº 220)

LES ÂMES FORTES. (Folio nº 249)

LES GRANDS CHEMINS. (Folio nº 311)

LE HUSSARD SUR LE TOIT. (Folio nº 240 et Folio Plus nº 1)

LE MOULIN DE POLOGNE. (Folio nº 274 et Folio Plus nº 13)

LE BONHEUR FOU. (Folio nº 1752)

ANGELO. (Folio nº 1457)

NOÉ. (Folio nº 365)

DEUX CAVALIERS DE L'ORAGE. (Folio nº 198)

ENNEMONDE ET AUTRES CARACTÈRES (Folio nº 456)

L'IRIS DE SUSE. (Folio nº 573)

POUR SALUER MELVILLE.

LES RÉCITS DE LA DEMI-BRIGADE.

LE DÉSERTEUR ET AUTRES RÉCITS. (Folio nº 1012)

LES TERRASSES DE L'ÎLE D'ELBE.

FAUST AU VILLAGE.

ANGÉLIQUE.

CŒURS, PASSIONS, CARACTÈRES.

L'HOMME QUI PLANTAIT DES ARBRES.

LES TROIS ARBRES DE PALZEM.

MANOSQUE-DES-PLATEAUX *suivi de* POÈME DE L'OLIVE. (Folio n° 3045)

LA CHASSE AU BONHEUR. (Folio n° 2222)

ENTRETIENS avec Jean Amrouche et Taos Amrouche présentés et annotés par Henri Godard.

PROVENCE. (Folio n° 2721)

FRAGMENTS D'UN PARADIS.

Essais

REFUS D'OBÉISSANCE.

LE POIDS DU CIEL.

NOTES SUR L'AFFAIRE DOMINICI *suivi de* ESSAI SUR LE CARACTÈRE DES PERSONNAGES.

ÉCRITS PACIFISTES.

Histoire

LE DÉSASTRE DE PAVIE.

Voyage

VOYAGE EN ITALIE. (Folio n° 1143)

Théâtre

THÉÂTRE (Le Bout de la route — Lanceurs de graines — La Femme du boulanger).

DOMITIEN *suivi de* JOSEPH À DOTHAN.

LE CHEVAL FOU.

Dans les « Cahiers Jean Giono » / « Cahiers de la N.R.F. »

CORRESPONDANCE AVEC LUCIEN JACQUES

I. 1922-1929.

II. 1930-1961.

DRAGOON *suivi de* OLYMPE.

DE HOMÈRE À MACHIAVEL.

DE MONLUC À LA « SÉRIE NOIRE ».

Éditions reliées illustrées

CHRONIQUES ROMANESQUES, I à IV.

Dans la collection « Soleil »

COLLINE.

REGAIN.

UN DE BAUMUGNES.

JEAN LE BLEU.

QUE MA JOIE DEMEURE.

Dans la collection « Bibliothèque de La Pléiade »

ŒUVRES ROMANESQUES I à VI.

RÉCITS ET ESSAIS (tome VII).

JOURNAL (tome VIII)

Jeunesse

LE PETIT GARÇON QUI AVAIT ENVIE D'ESPACE. *Illustrations de Gilbert Raffin* (« Enfantimages »).

L'HOMME QUI PLANTAIT DES ARBRES. *Illustrations de Willi Glasauer.* (« Folio Cadet », n° 180)

Traductions

Melville : MOBY DICK *(en collaboration avec John Smith et Lucien Jacques).*

Tobias G.S. Smollett : L'EXPÉDITION D'HUMPHREY CLINKER *(en collaboration avec Catherine d'Ivernois).*

Dans la collection « Biblos »

ANGELO — LE HUSSARD SUR LE TOIT — LE BONHEUR FOU.

Éditions illustrées

LE PRINTEMPS EN HAUTE-PROVENCE (Gallimard/ L'Yeuse).

COLLECTION FOLIO

Dernières parutions

3038. François Bon — *L'enterrement.*
3039. Albert Cohen — *Belle du Seigneur.*
3040. James Crumley — *Le canard siffleur mexicain.*
3041. Philippe Delerm — *Sundborn ou les jours de lumière.*
3042. Shûzaku Endô — *La fille que j'ai abandonnée.*
3043. Albert French — *Billy.*
3044. Virgil Gheorghiu — *Les Immortels d'Agapia.*
3045. Jean Giono — *Manosque-des-Plateaux* suivi de *Poème de l'olive.*
3046. Philippe Labro — *La traversée.*
3047. Bernard Pingaud — *Adieu Kafka ou l'imitation.*
3048. Walter Scott — *Le Cœur du Mid-Lothian.*
3049. Boileau-Narcejac — *Champ clos.*
3050. Serge Brussolo — *La maison de l'aigle.*
3052. Jean-François Deniau — *L'Atlantique est mon désert.*
3053. Mavis Gallant — *Ciel vert, ciel d'eau.*
3054. Mavis Gallant — *Poisson d'avril.*
3056. Peter Handke — *Bienvenue au conseil d'administration.*
3057. Anonyme — *Josefine Mutzenbacher. Histoire d'une fille de Vienne racontée par elle-même.*
3059. Jacques Sternberg — *188 contes à régler.*
3060. Gérard de Nerval — *Voyage en Orient.*
3061. René de Ceccatty — *Aimer.*
3062. Joseph Kessel — *Le tour du malheur I : La fontaine Médicis. L'affaire Bernan.*
3063. Joseph Kessel — *Le tour du malheur II : Les lauriers-roses. L'homme de plâtre.*
3064. Pierre Assouline — *Hergé.*
3065. Marie Darrieussecq — *Truismes.*

3066. Henri Godard — *Céline scandale.*
3067. Chester Himes — *Mamie Mason.*
3068. Jack-Alain Léger — *L'autre Falstaff.*
3070. Rachid O. — *Plusieurs vies.*
3071. Ludmila Oulitskaïa — *Sonietchka.*
3072. Philip Roth — *Le Théâtre de Sabbath.*
3073. John Steinbeck — *La Coupe d'Or.*
3074. Michel Tournier — *Éléazar ou La Source et le Buisson.*
3075. Marguerite Yourcenar — *Un homme obscur — Une belle matinée.*
3076. Loti — *Mon frère Yves.*
3078. Jerome Charyn — *La belle ténébreuse de Biélorussie.*
3079. Harry Crews — *Body.*
3080. Michel Déon — *Pages grecques.*
3081. René Depestre — *Le mât de cocagne.*
3082. Anita Desai — *Où irons-nous cet été ?*
3083. Jean-Paul Kauffmann — *La chambre noire de Longwood.*
3084. Arto Paasilinna — *Prisonniers du paradis.*
3086. Alain Veinstein — *L'accordeur.*
3087. Jean Maillart — *Le Roman du comte d'Anjou.*
3088. Jorge Amado — *Navigation de cabotage. Notes pour des mémoires que je n'écrirai jamais.*
3089. Alphonse Boudard — *Madame... de Saint-Sulpice.*
3091. William Faulkner — *Idylle au désert* et autres nouvelles.
3092. Gilles Leroy — *Les maîtres du monde.*
3093. Yukio Mishima — *Pèlerinage aux Trois Montagnes.*
3095. Reiser — *La vie au grand air 3.*
3096. Reiser — *Les oreilles rouges.*
3097. Boris Schreiber — *Un silence d'environ une demi-heure I.*
3098. Boris Schreiber — *Un silence d'environ une demi-heure II.*
3099. Aragon — *La Semaine Sainte.*
3100. Michel Mohrt — *La guerre civile.*
3101. Anonyme — *Don Juan (scénario de Jacques Weber).*

3102.	Maupassant	*Clair de lune* et autres nouvelles.
3103.	Ferdinando Camon	*Jamais vu soleil ni lune.*
3104.	Laurence Cossé	*Le coin du voile.*
3105.	Michel del Castillo	*Le sortilège espagnol.*
3106.	Michel Déon	*La cour des grands.*
3107.	Régine Detambel	*La verrière*
3108.	Christian Bobin	*La plus que vive.*
3109.	René Frégni	*Tendresse des loups.*
3110.	N. Scott Momaday	*L'enfant des temps oubliés.*
3111.	Henry de Montherlant	*Les garçons.*
3113.	Jerome Charyn	*Il était une fois un droshky.*
3114.	Patrick Drevet	*La micheline.*
3115.	Philippe Forest	*L'enfant éternel.*
3116.	Michel del Castillo	*La tunique d'infamie.*
3117.	Witold Gombrowicz	*Ferdydurke.*
3118.	Witold Gombrowicz	*Bakakaï.*
3119.	Lao She	*Quatre générations sous un même toit.*
3120.	Théodore Monod	*Le chercheur d'absolu.*
3121.	Daniel Pennac	*Monsieur Malaussène au théâtre.*
3122.	J.-B. Pontalis	*Un homme disparaît.*
3123.	Sempé	*Simple question d'équilibre.*
3124.	Isaac Bashevis Singer	*Le Spinoza de la rue du Marché.*
3125.	Chantal Thomas	*Casanova. Un voyage libertin.*
3126.	Gustave Flaubert	*Correspondance.*
3127.	Sainte-Beuve	*Portraits de femmes.*
3128.	Dostoïevski	*L'Adolescent.*
3129.	Martin Amis	*L'information.*
3130.	Ingmar Bergman	*Fanny et Alexandre.*
3131.	Pietro Citati	*La colombe poignardée.*
3132.	Joseph Conrad	*La flèche d'or.*
3133.	Philippe Sollers	*Vision à New York*
3134.	Daniel Pennac	*Des chrétiens et des Maures.*
3135.	Philippe Djian	*Criminels.*
3136.	Benoît Duteurtre	*Gaieté parisienne.*
3137.	Jean-Christophe Rufin	*L'Abyssin.*
3138.	Peter Handke	*Essai sur la fatigue. Essai sur le juke-box. Essai sur la journée réussie.*

3139.	Naguib Mahfouz	*Vienne la nuit.*
3140.	Milan Kundera	*Jacques et son maître, hommage à Denis Diderot en trois actes.*
3141.	Henry James	*Les ailes de la colombe.*
3142.	Dumas	*Le Comte de Monte-Cristo I.*
3143.	Dumas	*Le Comte de Monte-Cristo II.*
3144		*Les Quatre Évangiles.*
3145	Gogol	*Nouvelles de Pétersbourg.*
3146	Roberto Benigni et Vicenzo Cerami	*La vie est belle.*
3147	Joseph Conrad	*Le Frère-de-la-Côte.*
3148	Louis de Bernières	*La mandoline du capitaine Corelli.*
3149	Guy Debord	*"Cette mauvaise réputation..."*
3150	Isadora Duncan	*Ma vie.*
3151	Hervé Jaouen	*L'adieu aux îles.*
3152	Paul Morand	*Flèche d'Orient.*
3153	Jean Rolin	*L'organisation.*
3154	Annie Ernaux	*La honte.*
3155	Annie Ernaux	*« Je ne suis pas sortie de ma nuit ».*
3156	Jean d'Ormesson	*Casimir mène la grande vie.*
3157	Antoine de Saint-Exupéry	*Carnets.*
3158	Bernhard Schlink	*Le liseur.*
3159	Serge Brussolo	*Les ombres du jardin.*
3161	Philippe Meyer	*Le progrès fait rage. Chroniques 1.*
3162	Philippe Meyer	*Le futur ne manque pas d'avenir. Chroniques 2.*
3163	Philippe Meyer	*Du futur faisons table rase. Chroniques 3.*
3164	Ana Novac	*Les beaux jours de ma jeunesse.*
3165	Philippe Soupault	*Profils perdus.*
3166	Philippe Delerm	*Autumn*
3167	Hugo Pratt	*Cour des mystères*
3168	Philippe Sollers	*Studio*
3169	Simone de Beauvoir	*Lettres à Nelson Algren. Un amour transatlantique. 1947-1964*

3170	Elisabeth Burgos	*Moi, Rigoberta Menchú*
3171	Collectif	*Une enfance algérienne*
3172	Peter Handke	*Mon année dans la baie de Personne*
3173	Marie Nimier	*Celui qui court derrière l'oiseau*
3175	Jacques Tournier	*La maison déserte*
3176	Roland Dubillard	*Les nouveaux diablogues*
3177	Roland Dubillard	*Les diablogues et autres inventions à deux voix*
3178	Luc Lang	*Voyage sur la ligne d'horizon*
3179	Tonino Benacquista	*Saga*
3180	Philippe Delerm	*La première gorgée de bière et autres plaisirs minuscules*
3181	Patrick Modiano	*Dora Bruder*
3182	Ray Bradbury	*... mais à part ça tout va très bien*
3184	Patrick Chamoiseau	*L'esclave vieil homme et le molosse*
3185	Carlos Fuentes	*Diane ou La chasseresse solitaire*
3186	Régis Jauffret	*Histoire d'amour*
3187	Pierre Mac Orlan	*Le carrefour des Trois Couteaux*
3188	Maurice Rheims	*Une mémoire vagabonde*
3189	Danièle Sallenave	*Viol*
3190	Charles Dickens	*Les Grandes Espérances*
3191	Alain Finkielkraut	*Le mécontemporain*
3192	J.M.G. Le Clézio	*Poisson d'or*
3193	Bernard Simonay	*La première pyramide, I : La jeunesse de Djoser*
3194	Bernard Simonay	*La première pyramide, II : La cité sacrée d'Imhotep*
3195	Pierre Autin-Grenier	*Toute une vie bien ratée*
3196	Jean-Michel Barrault	*Magellan : la terre est ronde*
3197	Romain Gary	*Tulipe*
3198	Michèle Gazier	*Sorcières ordinaires*
3199	Richard Millet	*L'amour des trois sœurs Piale*
3200	Antoine de Saint-Exupéry	*Le petit prince*
3201	Jules Verne	*En Magellanie*
3202	Jules Verne	*Le secret de Wilhelm Storitz*
3203	Jules Verne	*Le volcan d'or*
3204	Anonyme	*Le charroi de Nîmes*

Impression Bussière Camedan Imprimeries
à Saint-Amand (Cher),
le 28 juin 1999.
Dépôt légal : juin 1999.
1er dépôt légal dans la collection : janvier 1973.
Numéro d'imprimeur : 992817/1.
ISBN 2-07-036311-2./Imprimé en France.